求医不如求己②

奠定中国人健康基石的最终方案

中里巴人·著

凤凰出版传媒集团
江苏文艺出版社
JIANGSU LITERATURE AND ART
PUBLISHING HOUSE

图书在版编目(CIP)数据

求医不如求己2/中里巴人著. —南京：江苏文艺出版社，2007.9

（国医健康绝学系列）

ISBN 978－7－5399－2673－5

Ⅰ. 求… Ⅱ. 中… Ⅲ. 保健－基本知识 Ⅳ. R272

中国版本图书馆 CIP 数据核字（2007）第 141645 号

求医不如求己2

著　　者：	中里巴人
责任编辑：	于奎潮
文字编辑：	王清宇　李　玲
封面设计：	周　红
责任监制：	卞宁坚　江伟明
出版发行：	凤凰出版传媒集团
	江苏文艺出版社
集团网址：	凤凰出版传媒网 http：//www. ppm. cn
经　　销：	江苏省新华发行集团有限公司
印　　刷：	三河市南阳印刷有限公司
开　　本：	787 毫米×1092 毫米　1/16
字　　数：	210 千字
印　　张：	17.5
印　　次：	2007 年 10 月第 1 版，2007 年 10 月第 1 次印刷
书　　号：	ISBN 978－7－5399－2673－5
定　　价：	29.00 元

（江苏文艺版图书凡印刷、装订错误可随时向承印厂调换）

出版说明

　　《国医健康绝学》是一套荟萃了中国各地保健名家多年来在防病养生方面实用经验的系列丛书。丛书全面、系统、深入浅出地阐述了人在不同年龄段的各类常见病和疑难杂症的预防之法，还告诉大家养生的根本在于要颐养人的"生长收藏"。

　　本套丛书的作者或是盛名在外、经年累月奋战在教学、科研、临床第一线的名师专家，或是得其家学和先师精髓并将其发扬光大的良医，或是久病成医后的中医大修之人，或是遍尝百草之后以颐养身心为乐的通达之士。虽然自古"道不轻传，医不扣门"，但是他们却毫不吝惜自己的养生防病绝学高技，以普渡世人的心苦身病为己任，以惠泽众生的快乐健康为大荣。

　　《国医健康绝学》系列丛书的出版，是本着积极预防疾病、提早化解潜藏在人体的隐患、把疾病消灭在萌芽状态的宗旨，希望大家能更多地关注健康，关注养生，而不是只仅仅关注疾病。我们建议，如果自身的情况不是"未病"状态，而是急病、重病或迁延不愈的痼疾，那么这时候还需要大家及时去医院求诊问治，接受常规治疗。"急病上医院，未病自己防"，如此，才能及时并全方位地保证自己的健康，这正是本丛书一直提倡的科学、理性的生活态度。

　　我们衷心欢迎各界有志于振兴中华传统医学养生的仁人志士和广大读者积极为本丛书提出宝贵意见和建议，以期携手为中国老百姓的健康贡献绵薄之力。

《国医健康绝学》系列丛书编辑部

让中医更加贴近百姓

半年多前，中里先生请恩师谢阳谷教授对自己的旧作《求医不如求己》进行指点。谢教授现任北京市中医管理局局长、中华中医药学会副会长和北京中医协会会长。在几十年的职业生涯中，谢教授一直致力于中医文化的普及和推广，致力于中医事业的发展和深化。读完《求医不如求己》，谢教授一时兴起，用毛笔小楷给中里先生修书一封。值新作《求医不如求己2》出版之际，中里先生征得恩师的同意，将此信公诸于众，并以之为序。读者可以从信中感受到谢阳谷教授对中医事业的深情以及对中里先生用现代人的思维方式普及中医的支持和鼓励。以下是信的正文：

小郑：

认真读完你的《求医不如求己》，心中不禁百感交集。作为从事中医管理几十年的专业工作者，我一直认为将祖先留下来的中医文化发扬光大是我们肩负的责任。但是近年来，中医存废之争闹得沸沸扬扬，有些非专业领域的学者从不同的角度对中医进行了歪曲和断章取义，而专业领域的学者在传播中医文化时又多于学术化和理论化。百姓普遍认为中医虽然疗效确切，但只能求助于中医大夫，自己很难触其玄机。《求医不如求己》不仅在中医思想的传承和延伸方面，做出了许多有益的探索和突破；更以通俗易懂和百姓喜闻乐见的语言表达出来，为在芸芸众生中普及中医基础知识和文化理念可谓贡献不小。

让中医更加贴近百姓是我多年来的夙愿。我愿意与你一道为达成这一夙愿，振兴祖国的中医事业而努力！

谢阳谷

2007 年 3 月

求医不如求己

十年前，我与一位来自台湾的企业家朋友共进晚餐，无意中得知他三十年不愈的鼻炎竟在中里巴人老师的指导下不治而愈，不禁拍案称奇。当时的我正饱受过敏性鼻炎之苦，于是经这位朋友介绍，我认识了中里老师，从此与健康和中医结下了不解之缘。

结识中里老师，真是人生中的幸事。除了自己缠身多年的鼻炎在不知不觉之中得以康复，从而让自己理解了求医不如求己的真谛；更耳濡目染了中里老师精神的高贵和心灵的自然，养成了自己不盲从、不刻意的习惯与心态。老师智慧逍遥，淡然处世，隐于市或居于野，可入世，也可出世，感觉很像当代的庄子。如果把人看做一头牛，那么中里老师的一身绝技就是庖丁手中的刀，"以无厚入有间"。难得的是，中里老师乐于把刀送给每一个人，从养生技巧到养心秘诀，从治病之方到处世之道，从理念到方法，从身体到灵魂，能否让它既合桑林之舞，又合中音之乐，就看每个人的造化了。这把刀便是《求医不如求己》。

中里老师在《求医不如求己》中强调人体自愈的功能，提供了诸多养生治病的妙方，简单易行，务实有效。难能可贵的是，似是而非的生活哲理，莫测高深的医学理论，都在老师的笔下深入浅出，娓娓道来。老师的文字或沁人心脾、随意自然，给人信手拈来之感；或心无旁骛、举重若轻，颇有四两拨千斤之力，可谓雅俗共赏，老少皆宜。

佛说，苦海无边，回头是岸。如果把疾病比做苦海，把健康比做岸，那么归于健康的关键就在于你愿意不愿意真的回头，这个心愿的力量，比你所想象的还要强大，因为它除了提供你到岸的船只，更拾起你的信心、勇气和希望，给你新生的力量。芸芸众生，无论财富，无论荣耀，都不重要，重要的是身心的健康；生活有各种各样的方式，最适合自己的就是最好的。如果我们能够端正心态，辅之以养生之良方，防患于未然，便可能到达健康的彼岸。这就是中里老师和《求医不如求己》所给我的启示。

高慧英

2007 年 10 月

目　录

第一章　保养人体的"生、长、收、藏"

> 还记得夏天热了一天后，享受黄昏那一丝凉意的痛快了吗？还记得冬天踩着冰碴子的感觉了吗？还记得新鲜空气的味道吗？还记得春夏秋冬都有哪些花开吗？恐怕早已不记得了。现在的人们冬天照样可以穿裙子躲在暖暖的空调屋里，夏天穿着吊带在冷气里吹，春天怕下雨，秋天怕晒黑。

第二章 到处都是祖传秘方

有的朋友劝我说："你怎么把知道的都说出来呀！不怕教会徒弟饿死师傅吗？"我说："本来就没有什么秘密可言，无处没有宝贝，到处是祖传秘方，我有什么怕丢失的呢？我只怕指给您，您还看不到呢。"如果别人有个一招半式，守如宝贝，我劝您不必去跪求他的施予，让他留着吧！每个人都有上天的赐予，还是去找您的那一份吧！

第三章 华佗妙手自家生——人体常见顽疾根除法

我们身边，健身的法宝取之不尽，随时都在我们的眼前跳跃。我们一定要善于捕捉那稍纵即逝的灵感。您只要相信自己，您今天就会有所发现！

第四章 开启《黄帝内经》的法宝

《黄帝内经·灵枢经脉篇》中的补肾法，原文是这样一句："缓带披发，大杖重履而步。"也就是要您宽松腰带，披头散发，拄着大拐杖，穿着沉重的鞋子而散步。这不就是"坠足功"吗？类似这样的健身法宝，《黄帝内经》当中俯首皆是。进了黄金屋，您可一定要多加留意，钻石都硌了脚心，却又被我们一脚踢开，岂不太可惜了。

第五章　让身心一天比一天强壮

我们总是关注疾病，而不关注健康，要知道，如果您的体质增长一分，疾病就减弱二分。我们无法驱散寒冷，那我们就去寻找阳光吧。疾病是要靠"内力"赶走的，而"内力"是我们每个人所固有的，但要我们去寻找，去培养，去激发，因为它就是我们心中的"太阳"。

我们完全可以在50岁时仍然没有鱼尾纹，可以终生都没有老年斑。

眼袋和黑眼圈更不是自然衰老的必然产物。

第六章　百病渐消，清福自来——经络是人体的医魂

> 身体就像我们的孩子，你关心她，她也喜欢你。
>
> 很多穴位，或许只有一个对您管用。那您就守好这一个吧，关键的时候，有一个朋友就够了。

第七章　每个人都将是解救自己的观音

> 我们的身体和心灵已经生锈多久了？要想脱胎换骨,就请用自己的手在身体上耕耘,让心灵五谷丰登。一旦能听懂身体发出的声音,那么每个人都将是解救自己的观音。

第一章

保养人体的
"生、长、收、藏"

　　还记得夏天热了一天后，享受黄昏那一丝凉意的痛快了吗？还记得冬天踩着冰碴子的感觉了吗？还记得新鲜空气的味道吗？还记得春夏秋冬都有哪些花开吗？恐怕早已不记得了。现在的人们冬天照样可以穿裙子躲在暖暖的空调屋里，夏天穿着吊带在冷气里吹，春天怕下雨，秋天怕晒黑。

1. 春天——祛病养肝的良机

> 春天，如果莫明其妙地感到嘴苦，可吃小柴胡丸或冲剂；有肩膀酸
> 痛、偏头疼、乳房及两胁胀痛，可选加味逍遥丸；臀部及大腿外侧疼痛，
> 可选平肝舒络丸。
>
> 春天腿老抽筋、爱腹泻、经常困倦，可用逍遥丸、参苓白术丸、大
> 红枣、山药薏米粥，这样就可以肝脾平和无偏了。

春天，冰开雪化，雁来惊蛰，万物复苏，到处都涌动着勃勃生机。这种生长之力源源不绝，为每个人的身体注入了强大的动力，这种能量，绝非药物可比，此刻我们若能借天时之力而祛病除疾，那真是"昨夜江边春水生，艨艟巨舰一毛轻"了。

春天的时候，人体陈旧的疾病最易复发，这是什么原因呢？这是因为时令给您的身体注入了阳气。人的机体有一个本能，就是一旦有了动力，它就要冲击身体的病灶，并将病邪赶出体外，这就好像是勤快的主妇，看到家里脏乱就一定要打扫一样。这种力量是借助肝脏来表现的，春天是肝气最足、肝火最旺的时候。肝在中医五行当中属木，此时它的功能就像是春天的树木生长时的情形。这时人最容易生气发火，肝胆是相表里的，肝脏的火气要借助胆经的通道才能往外发，所以，很多人会莫名其妙地感到嘴苦（胆汁上溢）、肩膀酸痛、偏头痛、乳房及两胁胀痛、臀部及大腿外侧疼痛。这时，您只要仔细观察一下，就会发现出现症状的地方都是胆经的循经路线。其实，从胆经来抒发肝之郁气，是最为顺畅的。口苦可吃小柴胡丸（或冲剂），偏头痛、乳房胀痛可选加味逍遥丸，肩膀或腿痛可用平肝舒络丸。

昨天，有位当教师的网友对我说，他白天与学生生气，到晚上十

一二点的时候（胆经最旺的时辰）肩膀疼痛加剧（三焦经的肩髎穴），这时他按摩了肝经上的太冲穴一分钟，马上止痛，且睡眠香甜。我很赞赏此网友治病求本的思路，因为这是学习实用中医的捷径。这种感悟是书上找不到的，但是您自己却可以天天在自己身上找到。只是，灵感虽然经常光顾，但又随即被我们忽略，觉得那是偶然的现象，不值得去捕捉和思考，于是玄机妙法也就这样与我们擦肩而过了。

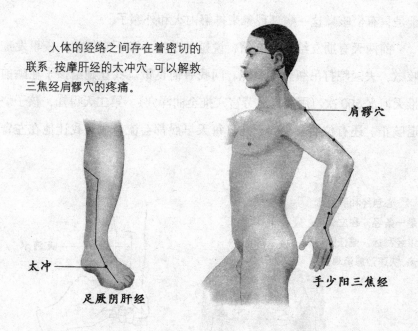

人体的经络之间存在着密切的联系，按摩肝经的太冲穴，可以解救三焦经肩髎穴的疼痛。

肩髎穴

手少阳三焦经

太冲

足厥阴肝经

有人问："既然肝火从胆经向外宣发，上面说的那位教师怎么会在三焦经的穴位上痛呢？"这是个很好的问题，大家仔细留心一下胆经和三焦经的名称就可明白了。胆经和三焦经都叫做少阳经，其实是同一条经，在手臂上是三焦经，在腿上就是胆经。所以那些敲胆经的朋友们，若敲完胆经后头痛失眠，通常是邪气被赶到三焦经了，若再敲敲三焦经，问题也就解决了。

春天肝火旺，人体的阳气开始不断地往外宣发，皮肤毛孔也舒张开放，这时最易感受风寒，所以，常言所说的"春捂秋冻"是很有道理的，很多人在这时常犯咳喘病，尤其是夜里咳嗽不止。肺在五行中属金，正好可抑制肝火（木）的宣发（金克木），但春天是木旺之时，肝气是最强大的，谁也抑制不了，于是就出现了"木火刑金"的情况。此时肺脏外有风寒束表，宣发功能受阻，内有肝火相逼，火气难发，于是只有借咳嗽这一病理现象来排解内火和外寒了。

前两天有朋友给我打电话，说她的3岁小孩不知何故，夜里发烧咳嗽，去医院打吊瓶总不退烧。问我有何良策。我让她给孩子在睡前推天河水500次（用拇指从劳宫穴推至曲泽穴）。第二天得知，孩子烧退咳止。还有位朋友说，近几日每天早晨都会流鼻血，我让他在左臂

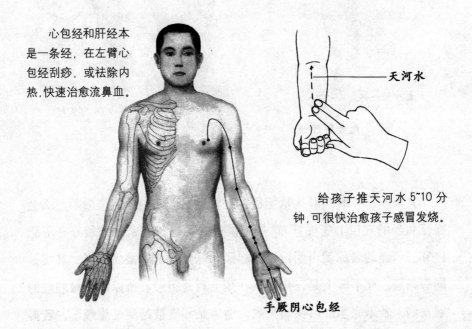

心包经和肝经本是一条经，在左臂心包经刮痧，或祛除内热，快速治愈流鼻血。

天河水

给孩子推天河水5~10分钟，可很快治愈孩子感冒发烧。

手厥阴心包经

的心包经刮痧，一次即愈。这两种不同的病，我选择的都是心包经，是因为考虑到春发的时令，心包经和肝经都是厥阴经，本是一条经，在臂为心包经，在腿为肝经，所以肝血的瘀阻，可以借心包经得以宣发。

有朋友又问了："您不是说，肝经之气是借胆经而发吗，这里怎么又出来个心包经呀？"其实，这两条都是肝经的通路，胆经抒肝经之气郁，心包经通肝经之血郁，侧重不同而已。

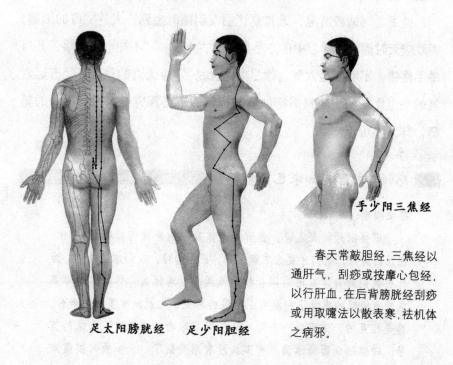

足太阳膀胱经　　足少阳胆经　　手少阳三焦经

春天常敲胆经，三焦经以通肝气，刮痧或按摩心包经，以行肝血，在后背膀胱经刮痧或用取嚏法以散表寒，祛机体之病邪。

春天，有人会眼胀头痛，有人会眩晕耳鸣，这些都是肝火过旺，无从宣泄所致，所以要及时打开宣泄肝火的通路：敲胆经、三焦经以通肝气，刮痧或按摩心包经，以行肝血，在后背膀胱经刮痧或用取嚏法（参见《求医不如求己》P202～P203）以散表寒，从而借自然之神力，祛机体之病邪。

春季有人经常腿抽筋，有人经常会腹泻，有人经常会困倦，这又是一种情形，叫做"肝旺脾虚"。五行中肝属木，脾属土，二者是相克的关系。肝气过旺，气血过多地流注于肝经，脾经就会相对显得虚弱，脾主血，负责运送血液灌溉周身，脾虚必生血不足，运血无力，造成以上诸般症状。这时，可服用逍遥丸、参苓白术丸、大红枣、山药薏米粥以健脾养血，脾血一足，肝脾之间便平和无偏了。

说了上面诸般情况，无非是让朋友们随时想到，人是宇宙的细胞，需顺应天时而动。学习中医亦是如此，古人言："不知十二经络，开口举手便错，不明五运六气，读尽方书无济。"今天讲的只可算是五运六气的一点影子，大家只需略加感知即可，不必深究，但作为中医的精髓，却又不可不知。

■ 感悟《求医不如求己》

感受四季：

记得刚开始有人说，要听懂身体发出的声音何其难啊！是难，但正因为难，我们才要去求疑解惑；正因为难，我们才要思考，为什么我们对身体发出的声音如此地漠视，为什么？想想你的胃多久没有饥饿的感觉了？没有了饥饿的感觉，也就没有了饱的声音，这是相互的，你可以一个劲地往胃里塞东西，它也发不出饱的信号。睡觉睡到酣畅淋漓，有多久没有感受到了？大多数时候醒来都是迷迷糊糊，有的时候还需要用冲澡来提醒自己新的一天来临。

为什么？因为我们的神经末梢的感觉越来越不敏锐了，这是我们自己造成的。我们热了开冷气，冷了开暖气，试图生活在一种恒温的空气中。还记得热得长痱子的感觉了吗？还记得夏天热了一天后，享受黄昏那一丝凉意的痛快了吗？还记得冬天踩着冰碴子的感觉了吗？还记得新鲜空气的味道吗？还记得春夏秋冬都有哪些花开吗？恐怕早已不记得了。现在的人们冬天照样可以穿裙子躲在暖暖的空调屋里，夏天穿着吊带在冷气里吹，春天怕下雨，秋天怕晒黑。

现在是春天了，走在路上，注意到那一颗颗饱含了生机的新芽吗？所有的新芽都是往上长的，即使杭州最著名的倒垂柳，枝条向下，可是你看她那眉毛似的柳叶，初开的花蕊，都是往上长的，如此的勃勃生机，你可曾注意到了？一场春雨过后，阳台上的盆栽能长出半盆新绿，你可曾感受到了它突破束缚的力量？今天走在路上，看到围墙里的海棠花开了，我指给同事看的时候，就见她满脸的惊讶。四季更替，植物生长，花开花落，这些都是自然的魔力。

还记得我们的祖先是怎样生活的吗？那留在我们心底最深的烙印是无法抹去的，只要我们还能去感受春天的生机，夏天的炎热，秋天的肃杀，冬天的清冷，我们的身体就会敏锐而有弹性，何愁听不懂自己身体的声音？

果果：

春天中旬的一个多月，我肚子像抽筋一样难受，特别是有点饿的时候难受得更厉害。难受的部位还经常不一样，肋骨跟心窝的地方总觉得胀痛胀痛的。想请教一下，我这是什么毛病，需要吃什么药或是按摩什么穴位？

Daiyan：

痛无定处，像是气窜，试试舒肝止痛丸、推腹法、拨动阳陵泉，再加上旋手、脚关节法。

Lorenaa：

妈妈每年春天时都是大腿外侧和臀部疼痛，久治无效。请问这是什么原因？

Jnc：

经络阻塞，血不下注，自然会麻。可在心包经刮痧，也可用平肝舒络丸。

2. 夏天——医治冬病的天时

药王孙思邈说："上医治未病之病，中医治将病之病，下医治已病之病。"所谓"将病之病"就是这种现在虽然未发，但却会在将来某个时候必发的疾病。那就要在未发之时，赶快祛除其必发的条件——或主因，或诱因。消除主因就是要改变体质，祛除诱因就是要改变环境。

前两天路过一家中医院，看到排队就诊的人都排到了门口。原来是针灸科在伏天搞的穴位敷贴，用来治疗冬天易犯的哮喘病。冬病夏治，善用天时，确实是很高明的疗法。

药王孙思邈说过："上医治未病之病，中医治将病之病，下医治已病之病。"所谓"将病之病"就是这种现在虽然未发，但却会在将来某个时候必发的疾病。那就要在未发之时，赶快祛除其必发的条件——或主因，或诱因。消除主因就是要改变体质，祛除诱因就是要改变环境。有的人虽然体质没有增强，但是换了个居住环境，身体的问题却不药而愈了。

"冬病"就是在冬天易发的病，此种病的易发人群多为虚寒性体质，也就是俗话说的"没有火力"。通常的症状是手脚冰凉，畏寒喜暖，怕风怕冷，神倦易困等。中医称之为"阳气不足"，也就是自身热量（能量）不够，产热不足，寒从内生。这样的人即使在盛夏，睡觉也要盖着被子，穿着袜子。

为什么冬病要夏治呢？是因为冬病患者本身体质就偏于虚寒，再加上冬天的外界环境也是寒冰一片，两寒夹击，便毫无解冻的可能，所以在冬天治寒症，就像是雨天里晾衣服，是很困难的。然而在盛夏之际，外界是暑热骄阳，体内也是心火正盛，这时积寒躲在后背的膀胱经以及各关节处，最易被赶出来。但若是阳气衰弱，体内没有推动之力，就会错过排寒的大好时机。再加上有很多人体质本来就有些阳气不足，夏天再痛饮消暑的饮料，如冰镇啤酒、凉茶等，然后整日在有空调的房间里工作，那真是陈寒未祛，又添新寒。

要记住，寒气是会沉积的，且身体被寒气侵袭的地方，必会气血瘀阻，这叫做"寒凝血滞"。若寒气停留在关节，就会产生疼痛；停留在脏腑，就易产生肿物；停留在经络，就会使经络堵塞，气血也就流行不畅，不但会四肢不温，也常会有手脚发麻的症状出现。所以倘若不在夏日祛除积寒，等到秋风一起，外寒复来的时候，就又会内外交困了。

那如何在夏日祛除积寒呢？方法也很简单，就是"内用温热"、"外散风寒"。

"内用温热"就是服用偏温热的饮食。有人觉得，大热天的，再吃热的东西，那还不得心烦气躁。不错，关键是服温热也有个正确的服法——我们可以热药凉服。比如说红糖姜汤水，本来是温热暖胃的，但我们如果在暑天服用，可以倒在塑料瓶中，然后放到冷水里泡一下，此时，我们虽然喝的是冷饮，到胃里的时候却是热药。还有那些不出汗或出汗后怕风的人，此时可用"玉屏风散颗粒"数袋冲成一瓶，放凉，每日当饮料频饮，汗多可止，无汗可发，又可防风，真是一石三鸟，您不妨一试。

夏天毛孔大开，最易出汗，汗为心之液，可泻过旺之心火，也可将侵入皮肤的寒邪及时排出，所以发汗法是排除体内寒邪的最好方法。借用金庸先生小说里提到过的《九阴真经》里的第一句话："天之道，损有余而补不足"，正好体现了人体应天时而动的这种自然调节功能：泻心经之气血（火）来补充膀胱经的虚弱（寒）。心，五行属火，夏天最盛；膀胱经，人体之藩篱，是抵御外寒之屏障，也是清除内寒之通道，所以夏天身体多汗是上天赐予我们的自然疗法，不但可以清除寒气，发汗本身还可排出体内大量的瘀毒。但由于夏日我们贪食冷饮，胃肠中有大量寒气，本来用于发汗的心火，转而被用于温暖肠胃了。此时，体表便缺少气血来抵御外邪侵袭了。而所谓的外邪也是我们一手制造的，那就是空调的冷气。冷气从皮肤而入，冷饮从肠胃而入，心火虽盛，难敌二寒，既不能很好地消化，也不能很好地发汗，结果就出现了所谓的"肠胃型感冒"：发热无汗，吐泻交加。此时，我们可以吃"藿香正气丸"，此药偏温热，外散风寒，内消寒湿，一药两解。但如果是真正的中暑之症，内外俱热，此药却大不适宜。

以上说的，似乎与冬病夏治无关，其实不然，告诉您寒邪出入之机理，您才会有长久应对之策略。下面说得再具体些：

如果感觉肚子凉，夏天也爱吃热的，又怕风怕冷的人，那就要吃些附子理中丸先暖暖胃。夏天药店很少有人买此药，怕上火，可有人

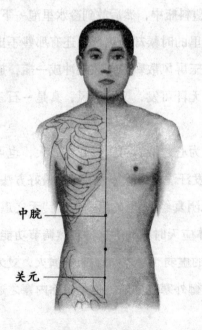

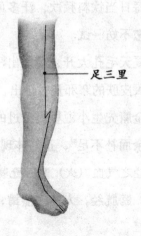

用艾条来灸中脘、关元、足三里，祛除身体的虚塞很有效。

足三里

中脘

关元

本身虚寒一片，这点火投进去，恐怕马上都会熄灭呢！用艾条来灸中脘、关元、足三里，也很有效。只是艾灸的味道有人不喜欢，也有人怕烟，那就可以不用。其他的方法还有很多，找自己最乐于接受的效果才好。

如果感觉后背发凉，怕风，那就先在后背刮刮痧，若能同时用热水泡脚，再喝一碗发汗的生姜红枣汤，或者是胡椒白萝卜汤，寒气是很容易排出的。

还有取嚏法，对于身体有寒的人，是最好的宝贝，尤其是一取就容易打喷嚏的人，那就更要多取。每次取到打不出喷嚏，并微微发汗为止。排出身体的寒气是一件长期的事情，有时甚至需要几年的时间。因为虚寒是一种体质，是胎里带来的，如果我们按照先天的生长惯性而不去改变它，那它就会像一株本来倾斜的树苗，继续往偏曲的方向生长。所谓"治未病之病"，就是要从先天体质入手，纠正阴阳之偏。"损有余而补不足"，才是治病之本。

有人说，我虽然虚寒怕冷，但是一吃热药或热的食物，就会上火，脸上起疱，牙龈肿痛，必须马上再吃祛火的药才行。这是什么原因呢？那是因为您表寒过重，虽吃热药，也是"冰包火"，外寒不解，内热直上头面所造成的。外寒就是膀胱经之寒，只要在后背刮痧或拔罐"破冰融化"，再吃热药或热的食物，就会火有去处，发向后背去御寒，不再往头面上跑了。

当然，这里只告诉大家个思路，用的时候要根据自己的感受，随心取舍，任意添加，千万别去生搬硬套，其实，没有更好最好，只要恰好就好。

■■ 感悟《求医不如求己》 ■■■■■■■

宝宝：

我的背老发冷，而且全身各个关节也经常发冷，不知道是什么原因？

夜晚的彩虹：

膀胱经寒气太多，上背部冷是肺的问题，中间是脾胃，下段是肾和膀胱，好好看看《夏天——医治冬病的天时》这篇文章，会有所启发。

康康sky：

用取嚏法老也打不出喷嚏怎么办？

我知道：

用巴掌大的餐巾纸，分成4小块，正方形或长方形都行。折成对角，搓成细细的小棍子。然后沿着内鼻壁稍稍摩擦，如果你比较敏感，一下子就会止不住地打喷嚏了。

小小问：

生姜红枣茶是怎么做的啊？

浊世公子：

生姜（六七片）、红枣（八九枚）适量，水1斤左右一起煮。

小惠：

对于排汗顺畅的人来说，夏天发汗是很好的。但有的人就像老师说的是"冰包火"，体表堆了一层厚厚的脂肪（寒气所致），无法顺畅排汗，就会觉得酷热难当，甚至中暑。老师说过，这种情况只要在后背刮痧或拔罐，"破冰融化"，加上养血气，清除体表之寒，使发汗顺畅，就可以起到冬病夏治的效果了。

路过晴蜓：

　　此文就像姜汁红糖水一般，暖心暖身。昨天用艾条灸了足三里等穴位，感觉很好，喜欢艾灸的味道和暖暖的感觉。喝了姜汁红糖水暖胃发汗，此次没有腹痛。用了几次取嚏法，预防了淋雨后的感冒，容易出涕，每次取到打不出喷嚏，并微微发汗。今天对照老师的新文，感觉自己很对路。前阵感冒、咳嗽很流行，往日体弱多病的我居然"幸免于难"了，心中充满前所未有的自信。相信跟着老师的指导，坚持调理，一定能彻底改善体质。

3. 秋天——"娇生惯养"肺

> 如果没有来自内外的双重侵害，肺本来也不会有病，又何谈去养它呢？来自外界的侵害主要就是寒气。寒气若没及时排出，自毛孔侵入体内即会伤肺，所以防止寒气侵入是养肺的重要环节。而来自内部的侵害主要缘于肝火，所以消解肝火也可养肺。

按中医的五行学说，肺属金，秋天正是肺的脏气最旺、功能最强的时候，我们可以借天时以养肺。肺在中医理论当中，主要有两大功能，一个是宣发，一个是肃降。宣发主要是通过发汗、咳嗽、流涕来表现。肃降功能主要表现在两个方面，一是通调水道，下输膀胱；二是推动肠道，排泄糟粕。但肃降的功能通常要从病理状态中才能感知到，正所谓"善者不可得见，恶乃可见"，也就是说它的功能正常时，你根本看不到它的作用，但不正常了，才会有症状表现出来。许多便秘患者并不是大便干硬，而是大便无力下行；还有人小便艰涩，需良久方出，这些都与肺不肃降有直接关系。

肺的宣发和肃降的力量来自哪里呢？来自中气，也就是脾肺之气。很多中药制剂就可以补中气，如参苓白术丸，既可健脾又能补肺，平和无偏；补中益气丸，功如其名，但其功能是升提肝肾之气以补中气，若肝肾本虚的人就不适宜了。肺经有个穴叫做"中府"，此乃中气之府，是中气汇集的地方，因此为调补中气的要穴。太渊穴，是肺经的原穴，穴性属土，土能生金，其补中气之力最强，按摩、艾灸都有显效。此外山药薏米粥也是补益中气的佳品。

有人说，我不想吃药，是药三分毒；不想喝粥，操作不方便，还有没有养肺方法呢？其实，如果没有来自内外的双重侵害，肺本来也

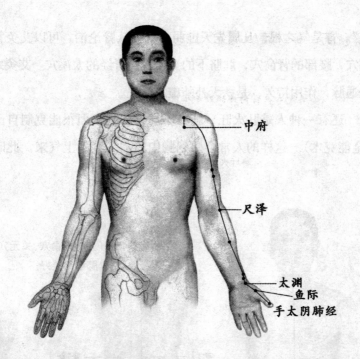

中府为调补中气的要穴。太渊穴是肺经的原穴，补中气之力最强。鱼际穴是肺经的火穴，点按可祛肝火旺引起的肺热咳嗽。尺泽穴，为肺经合穴，可治上实下虚的高压症、哮喘症、遗尿症。

不会有病，又何谈去养它呢？来自外界的侵害主要就是寒气。寒气若没及时排出，自毛孔侵入体内即会伤肺，所以防止寒气侵入是养肺的重要环节。而来自内部的侵害主要缘于肝火。肝属木，肝火伤肺，中医叫做"木火刑金"。肝火虽旺，如果能够及时消解，也不会伤及肺，所以消解肝火也可养肺。鱼际穴是肺经的火穴，点按可祛因肝火旺而引起的肺热咳嗽。若平日多按摩肝经的太冲至行间，使肝火及时疏散，火不来克金，肺自然也就没有内患了。

有的人先天肺气不足，身体没有火力，畏寒怕冷，言语低微，动则气喘，吸入的氧气很少，总有吸不进去的感觉，这就叫做"肾不纳气"。肾是气之根，凡属先天虚弱，就要从肾论治。可以艾灸督脉的命门穴，腰部的肾俞穴，肚脐下的关元穴，肾经的太溪穴。艾灸之法，温经通脉，作用持久，是秋天补肺虚之妙法。

还有一种人是肝火旺，肺亦不虚，脾气大但很能克制自己不发火（金能克木）。这样的人常会感到胸中堵闷，喘不上气来。此时可点揉

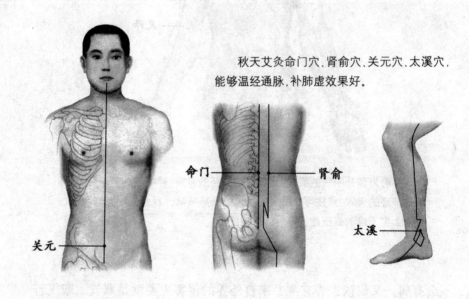

秋天艾灸命门穴、肾俞穴、关元穴、太溪穴，能够温经通脉，补肺虚效果好。

命门————肾俞

关元

太溪

肺经的尺泽穴。尺，此字在此不指尺寸，而暗指肾脏（中医诊脉讲"寸、关、尺"，而"尺"正是肾脉之反应处）；泽，是雨露，引申为灌溉，由此可知，此穴有补肾之意。尺泽穴为肺经合穴，属水，金气化水，则肺气不壅滞于胸，水可涵木，则肝火得水而平，所以此穴可治上实下虚的高血压症、哮喘症、遗尿症。

以上诸法，可根据个人体质参酌而用。但更有一简捷之法，上通鼻窍毛孔，下通前后二阴，通天彻地，肺之宣发肃降之功一举完成，

那就是"取嚏法"。举一例，若大便因中气不足、无力下行时，可在排便同时取嚏，借其宣发之后坐力，大便轻意可通。若小便不利者，也可试用此法。取嚏法是锻炼肺脏功能的绝妙之法，诸位一定要善加利用，方可体会其妙处。对于过敏症、虚寒症、气郁症、皮肤诸症，取嚏法皆可一招致敌。此法来源于本能，所以才有先天的神力。

■ 感悟《求医不如求己》

hadhad1：

"善者不可得见，恶乃可见。也就是说它的功能正常时，你根本看不到它的作用，但不正常了，才会有症状表现出来。"说得太好了！太上，无为而成，不知有之。孔子祖述尧舜，道家其实还要古老，蕴含着黄帝遗风，故汉以前一直黄老并称。虽然在顶点处儒道汇合，但在自然科学（含医学）和思辨方面，道家是更深邃的。

大罗：

善学者其如海乎！旱九年而不枯，受八洲水而不满，中里巴人就是这样的高人！

oaheh：

先生之取嚏法，确有良效。近一周来，每晨皆取，不亦乐乎。取时如天崩地裂，去时则通体舒泰，妙。

近日拜读先生著作，感获良多，方觉多年鼻疾实寒气所致，用先生教法取嚏，伴以刮痧，并按照吴清忠先生建议的一式三招，调节生活作息，确觉身体日日渐好。祖宗所传，确非等闲。

4. 冬天——养生从避寒开始

"鸟因迁徙而羽丰，兽恃蛰伏而体壮"，冬天是万物休养生息的季节，也正是我们身体储存能量的最好时机。当我们在寒风中呵手跺足，在飞雪中嬉闹玩耍时，我们的心里却温暖如春。因为，我们时时为苍天的厚爱而感动，更为这份感动而欣喜。

《史记》言："夫春生夏长，秋收冬藏，此天道之大经也。"古人倡导"天人合一"，与自然相应，与万物共沉浮。许多现代科学家也强调，人就是宇宙的细胞，包含着宇宙的全部信息。所以我们要顺天而行，借天之力来养生祛病，自然能得到上天的帮助。

《黄帝内经》上说："冬三月，此谓闭藏"，"早卧晚起，必待日光"，"去寒就温，无泄皮肤"，"逆之则伤肾"。古人生活条件较差，冬天也没有现在的暖气设备，更不能随时摄取足够的热量，因此避寒的方法主要是从太阳那里获得能量，同时减少体内热量的消耗，所以冬天里天一黑就要睡觉，太阳出来了再起床。这样的养生法，放在今天，却不能普及，因为大家一早就要去工作，很晚了才下班，还要看电视、上网，夜生活也很丰富，这就是现代人的生活方式，谁都不想改变这种习惯。但古人的养生法又的确是安身立命的法宝，那应该如何取舍呢？如果大家仔细分析一下《内经》这段"冬季养生"的文字，就会发现其实里面要叮嘱我们的就是两个字——"避寒"。

"早卧晚起"为了"防寒"，"必待日光"为了"散寒"，"去寒就温"为了"驱寒"，"无泄皮肤"为了"御寒"。

"避寒"二字，并不难解，以现代人的生活条件，可以轻易做到，另外还有许多有效的方法，可以帮您把不小心进入身体的寒气驱赶出去。为什么我们非要赶走寒气呢？因为寒气是导致众多疾病的直接原因。寒性凝滞，会使经脉气血阻滞不通，不通则痛。寒性收引，会令筋脉拘挛抽搐，关节屈伸不利。《灵枢·天年》中黄帝问大医歧伯，有人不能寿终而死的原因。歧伯回答："薄脉少血，其肉不实，数中风寒……故中寿而尽也。"其中"数中风寒"便是早亡的一个重要原因。所以，我们要健康，我们要长寿，我们就要善于"避寒"。

有很多时尚女性，冬天的时候，上身穿得厚厚的，下面却只穿条裙子，这个装束，虽然美丽"冻"人，却是贻害无穷。俗话说："风从颈后入，寒从脚底生。"虽然血总是热的，但很多人气血虚弱，或阳气不足，新鲜血液很难循环到脚上去，没有热血的抵挡，寒气便会乘虚从脚下侵入，所以为了您的健康，请穿上棉鞋、厚袜和暖裤吧。

还有人一到冬天脚总是冰凉，即使盖上厚被，也整宿不温，那就请您多多练习"跪膝法"（参见《求医不如求己》P181）和"坠足功"（参见《求医不如求己》P159～P161），当然能加上"金鸡独立"（参见《求医不如求己》P122～P124），那就更好了。另外每晚用盐水泡脚，不仅对暖脚有很好的效果，对冻疮的防治也很有帮助。其实，每天若离单位不是太远，步行上下班真是最好的冬季健身法了。我们走得不必太快，但一定要体会脚踩地面的感觉。有的人其实并不会走路，只是用腿拖着步子，脚却抬不起来，结果鞋跟都磨偏了。有类似情况的朋友走路时需尽量用脚内侧用力，这样不但能增强肝脾的功能，鞋跟也不会再被磨损了。

冬令进补，我们要吃些什么呢？怕冷的朋友可以多吃些羊肉、虾类、姜、蒜、胡椒、咖喱等温热的食物。羊肉、香菜、萝卜汤的补益力最强，又美味可口，可常吃无碍。若吃肉太多，别忘了吃些大山楂丸。《内经》上说："秋冬养阴。"这句话对于五心烦热、阴虚火旺、口干喜饮的人最为适宜。乌鸡、鸭肉、甲鱼、银耳、百合、莲藕等，都是最好的养阴佳品。此外中药六味地黄丸更是养阴第一药。进补的关键是要看体质，畏寒体质则补阳，虚火体质则滋阴。

还有的人，阴阳平衡，身体健康，仍想在冬天让自己更强壮些，我建议您可以艾灸肚脐下的关元穴，再加上胃经的足三里，两穴每天各灸15分钟，灸它个冬三月。据说，此法是许多百岁老人的长寿秘方。

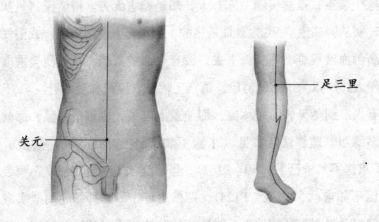

足三里

关元

冬季每天艾灸关元、足三里各15分钟，可以让身体更强壮，更健康。

"鸟因迁徙而羽丰，兽恃蛰伏而体壮"，冬天是万物休养生息的季节，也正是我们身体储存能量的最好时机。当我们在寒风中呵手跺足，在飞雪中嬉闹玩耍时，我们的心里却温暖如春。因为，我们时时为苍天的厚爱而感动，更为这份感动而欣喜。

第二章

到处都是祖传秘方

有的朋友劝我说："你怎么把知道的都说出来呀！不怕教会徒弟饿死师傅吗？"我说："本来就没有什么秘密可言，无处没有宝贝，到处是祖传秘方，我有什么怕丢失的呢？我只怕指给您，您还看不到呢。"如果别人有个一招半式，守如宝贝，我劝您不必去跪求他的施予，让他留着吧！每个人都有上天的赐予，还是去找您的那一份吧！

1. 到处都是祖传秘方

有的朋友劝我说："你怎么把知道的都说出来呀！不怕教会徒弟饿死师傅吗？"我说："本来就没有什么秘密可言，无处没有宝贝，到处是祖传秘方，我有什么怕丢失的呢？我只怕指给您，您还看不到呢。"如果别人有个一招半式，守如宝贝，我劝您不必去跪求他的施予，让他留着吧！每个人都有上天的赐予，还是去找您的那一份吧！

有些人总觉得自己储备的军火太少，不足以去战场御敌，但如果不去战场上放一枪，您怎么知道您的枪到底能不能用呢？

有的人苦练武功却不敢实战，直到练得很多，一试才知，都是些无用的废招。要想搏击，就先打出一拳，这样您才知道，回来该练哪些招数了。

灵感来的时候，似乎就是一些最平常不过的观念，但它逝去的时候，你却苦思冥想也别想再得到了。

有的朋友劝我说："你怎么把知道的都说出来呀！不怕教会徒弟饿死师傅吗？"我说："本来就没有什么秘密可言，无处没有宝贝，到处是祖传秘方，我有什么怕丢失的呢？我只怕指给您，您还看不到呢。"如果别人有个一招半式，守如宝贝，我劝您不必去跪求他的施予，让他留着吧！每个人都有上天的赐予，还是去找您的那一份吧！

总有人争论中医是哲学还是科学，其实无论是哲学、科学、医学，都不过是生活的工具而已，不要反过来把生活投入到它们的套子中去，反而成了"生活是为了哲学和科学"。科学是人类的奴仆，而不是统治我们的主人。某些时候，这些学科门类更像是装载不同能量的容器，有的方、有的圆、有的可方可圆，有的可大可小，有的是钢铁制造的精密容器，有的是橡胶做成的伸缩气囊。不要企图用小的容器来装载大的，也不要企图用方的容器来装载圆的，我们发明这些工具不是为了互相装载的，也不是为了互相替代的，而是用来方便，用来顺手的。吃饭可用饭勺，也可用筷子、叉子；喝汤用勺，吃面用筷，方便而已，哪有优劣呢？人们发明的东西，不论是哲学还是科学，不过是想让我们的生活更自由、更宽阔，而不是让我们的思想更拘束、更狭隘。

寒蝉不可能为冬天叫早，麻雀不可能为大雁引路，别和小河的鱼谈大海的事，装在套子里的人随时都想用套子套人。再宏伟的殿堂也是供人来居住的，您去膜拜它，它就盛气凌人，您若端坐大堂上，它不过是您家的客厅、厨房。

我们总是怀着卑微的心走进华丽的艺术殿堂，其实，那些艺术品哪个不是在等待我们去鉴赏品评呢？否则，此时它们让我们看到又有什么意义呢？

■ 感悟《求医不如求己》■

莲花童子：

　　被身奴役，被心奴役，被映射出的世界奴役，不知有多少辈子了！苦累且不说，这次啊，定要争回个主人翁。呵呵，您这碗药轻灵、温煦，直达病灶。

2.百善孝为先——献给父母的无价之宝：
推腹法、跪膝法、金鸡独立

> 年纪大的父母就是老小孩，有时我们要学着哄着他们，鼓励他们，让
> 他们看到希望，看到未来的美好，帮助他们找回年轻的感觉，这样他们就
> 真的会年轻了。

　　我曾经写过两篇《孝敬父母最好的礼物》和《献给父母的爱》，主要介绍了"金鸡独立"等简单有效的方法，并借朋友之口抒发了人们希望父母健康长寿的感情。此后，我不断地收到网友们的来信，纷纷咨询自己父母的病情。

　　是啊，当我们的父母步入老年，常常会步履蹒跚，腰酸膝痛，有头重脚轻的感觉，同时高血压、关节炎、糖尿病、心血管病、前列腺病炎等疾病也会接踵而至。老年病症多不胜数，防不胜防，以致我们无从下手。其实，这些都是"上实下虚"之症，也就是气血不足，气血下不到脚了。有句俗话叫做"人老先老脚"，一棵大树，只要树根不坏，树就不会枯萎，所以只要我们脚上的气血充足，全身的血流就会是正常的。所以古人有每日搓脚心百次的养生法，还有赤足走路健身法，都对防止衰老有很好的效果。今天我再告诉大家一个引血下行，见效更快，而且对每个人的父母都会有效的健身法，那就是引血下行"三部曲'。

　　一、推腹法（参见《求医不如求己》P86～P88）。腹部的"三浊"（浊气、浊水、宿便）如果不及时排出的话，气血就难以运行到下肢去，下肢就会由于缺血而出现膝痛、水肿、伤口不愈等很多病症，所以推腹是引血下行的第一步。

　　二、跪膝法。这是个引血下行的绝妙方法。气血不易一下子引到脚底，那就先引到膝盖，膝盖气血充足，离脚底也就不远了。在一个不太软的床上或在地毯上，跪着行走，气血就会源源不断地流向膝盖，膝盖由于新鲜血液的供养，而使寒气可散，积液可消，肿痛可化。但有人膝盖有伤痛，那就先在较软的床上跪着不动，逐渐缓缓运动，很快就会适应的，那时膝盖也就不痛了。

　　三、金鸡独立。做完了跪膝法，再练金鸡独立，您会突然发现可以闭着眼睛站更长时间了。这是由于跪膝法已经把大量的气血引到下肢了，下肢有力了，当然脚也就站得更稳了。用金鸡独立可以引气血把脚上6条经络（肝、胆、脾、胃、肾、膀胱）的原穴冲开，这样，气血才会运行得更加持久有力。那时，什么关节炎、高血压、糖尿足（一种因足部缺血而需截肢的病症），就都与您无缘了。

　　以上"三部曲"方法很简单，适应症也极为广泛，腹胀的人、头

将"跪膝法"与敲打左侧心包经相结合,效果更好;有高血压的朋友,再点揉尺泽穴,可使头脑清明。

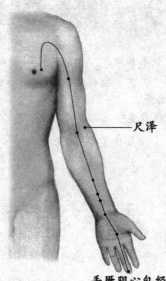

尺泽

手厥阴心包经

痛的人、脚寒的人，失眠的人，都可试用；另外心情烦躁、焦虑不安的人，练完此三部曲，就会觉得心里平静，头脑清晰。

如果在跪着走的时候，同时敲打一下左侧心包经，那么效果就会更佳。有高血压的朋友，再点揉一下肺经的尺泽穴，您会立刻感到头脑清明。

年纪大的父母就是老小孩，有时我们要学着哄着他们，鼓励他们，让他们看到希望，看到未来的美好，帮助他们找回年轻的感觉，这样他们就真的会年轻了。

■ 感悟《求医不如求己》

夕阳红：

学了金鸡独立和推腹法，现在每天坚持锻炼，再配上喝醋蛋液，效果太神奇了。以前睡 8 个小时还感觉睡不醒，头昏昏沉沉的，现在睡五六个小时就神清气爽，精力充沛，头脑反应速度也快了。谢谢老师，恩泽众人保健康，惠泽天下不牟利。每日睡前练金鸡独立，后做推腹法，再用热水烫烫脚，再按按脚，几效合一，无梦，无醒，实睡至天明。

快乐如斯：

百善孝为先! 父母的健康就是儿女最大的幸福!

莲花童子：

哀哀父母，生我劬劳。

3."海的女儿"的养生经——双脚同时写"马"字

> 转关节能改善心脏供血不足的问题，是很好的降压之药
>
> 转关节还可除宿便，治失眠，肝斑、黄褐斑、面色灰暗等面子工程也可一同解决。

春风拂面的时候，网友"海的女儿"在我的博客评论上给人家带来了一件养生法宝，随着时间的流逝，那宝贝一直在我的脑子里熠熠发光。特用一篇文章来把它彰显出来，也不负这位网友的一片爱心。

"海的女儿"如是说道："这几天正在学习针灸穴位图，发现在手腕关节、脚腕关节等部位有很多重要穴位，比如经络的原穴、经穴等。（郑老师曾经说过，太冲穴是肝经的原穴，"原"就是"发源、原动力"的意思）我突然想起姨妈曾讲过的一个真实锻炼功法，愿意分享给大家，并且我自己也在这样做，效果真是太好了。

姨妈说，她的一个男性邻居已八十多岁，耳不聋，眼不花，每天最喜欢做的体育运动就是转手关节和脚关节，每天转 300 下。于是，我也学着转关节。转了一周，体会真是好极了。我是乙肝患者，不久前刚出院，指标还没有完全正常，脸上有肝斑，感觉后背沉、痛，可能转氨酶有上升的倾向。但这几天转全部关节各 300 下，仅仅只有一周，脸上的肝斑没有了，体感轻松了，心情也好了很多。我想，这是因为转关节有'牵一发而动全身'的效应，即四两拨千斤的作用，最简单的动作就能治人体最严重的疾病，人类常把最简单的事情复杂化了。但我不明白道理在哪里，能请郑老师给论述一下吗？"

我还用论述吗？这才是真正的祖传秘方。小小的功法，却能调动全身十二条经络的原穴。原穴本来就是各条经络相通的接口，这一转，

堵塞不通的经络瞬间被接通。有许多人的表里经、子母经交接不畅，如肝胆为表里，胆经是肝经排浊气的出口，若交接不畅，浊气就会堵在肝经里，肝必会受到损害。肝经属木，心经属火，木为火之母，二者为母子关系。若两经交接受阻，必然会形成"木不生火"的情况，也就是所谓的"心脏供血不足"。

此法既然能解除肝斑，自然黄褐斑、面色灰暗等诸多"面子工程"也可一同解决了，看来还可以充当美容神丹。前两天，还有网友反馈此法对足寒症效果甚佳。我也曾推荐给一些睡眠不好的朋友，都说有效。

为了增加大家的兴趣，我曾建议大家平躺在床上，双脚同时写"马"字，右脚写正字"马"，左脚写反字"马"，然后再写个"氏"字，也是一正一反。但其实这也属画蛇添足，如果您能同时顺时针，或逆时针转足，或一顺一逆，一抬一压，或自行编排发挥的话，那才叫触类旁通呢！

有人问，此法对高血压如何？每日转脚至酸，引血下行，这自然就是最好的降压之法。至于常坐在电脑桌前的人们，更是可以随着音乐，转转手腕，解决眼疲、颈疼、腰酸的问题，心中郁闷有火气者向外转手腕，心血不足需安神定志者，双手向胸腹内旋转。

这么好的功法，应该有个好听的名子，还是留给原创"海的女儿"来点睛吧！更感谢她的姨妈和那位不知名的老人，这是老人家们留给"海的女儿"和我们大家的宝贵礼物啊！

■ 感悟《求医不如求己》

空知：

在深圳莲花山上有一位老先生已86岁，也用类似方法，但他是眼随手转，左眼看左手，右眼看右手，手和手互相包容，一个张，一个握紧，顺时针、逆时针来回转动，很是灵活。

topofsummer：

　　我觉得，其实许多功法就是活动经络，像"饭后百步走，活到九十九"，应该就是慢走活动了手脚的经络，与"海的女儿"的功法是一个道理，只是没有转动关节的针对性和高效率。只要我们用心体会，身体力行，一定会有所发现的。

匿名：

　　我旋转关节一周后，手背的色素斑明显变淡了。

大冈：

　　我的双脚总是凉冰冰的，睡眠也不好，看到这个功法后，马上学以致用，效果非常好。我的方法是用脚写所有认识的人的名字，没写几个就睡着了，一点都不枯燥。

小净：

　　其实，转关节的方法在瑜伽体位法的初级练习中非常普遍。

　　在我使用的瑜伽教材中，这类体位练习属于祛风系列姿势中的抗风湿练习，从始于脚尖的脚趾关节开始，依次是脚踝关节、膝关节、大腿根部的关节、腰椎、手指关节、手腕关节、肘关节、肩关节、颈部，分别都有屈伸和旋摇的动作练习，一共是16组。在瑜伽相关的印度古代医学中，风、酸或胆汁是调节身体平衡的重要体液，而祛风系列姿势可以帮助人体把过多的风和酸从体内排出。这套抗风湿练习，堪称是瑜伽体位法中最简单的一套动作了。不管是男女老幼，胳膊腿僵硬的，体力不支的，甚至是在最初的身体康复期间卧床不起的病人，只要能如法练习这套动作中的一个或几个，都能有很好的效果。可惜的是，越简单的东西，就越容易被人忽视，连很多瑜伽老师教体位课时，都把这套"初级"练习一带而过，何况是对瑜伽不很了解的门外人呢？因此，中里老师提到了关节旋转法，让我又很激动，在此热切地推荐这套动作。希望老师和朋友们多多给予指点。

　　瑜伽中这套转关节功法对每个部位的练习都有详细的设计，这里不细说，但总的原则有二：1.要保持脊椎的正直。人或坐、或卧、或站，但上半身一定要处在自然的正直状态，不要僵硬和扭曲。2.要保持放松。活动哪个关节，除转这个关节必要的那几块肌肉以外，其他部位就要尽量保持放松，就好像完全失去控制一样地瘫软下去。这一条需要慢慢练习才能做到。比如说，很多人旋转膝关节的时候，大腿根关节也会下意识地跟着动；旋转踝关节的时候，膝关节也会不自觉地紧张起来，这些习惯需要在练习中慢慢调整。最初转的时候动作要慢、均匀，要专注，尽量体会这种放松的感觉，要练到每个关节转动时都能"相对独立"。

　　人越在疲倦的时候，这套动作效果越明显。而且这套动作本身不怎么花费力气。还有，这套动作尤其适合那些年老体弱的人，你可以帮他们做，还可以教他们自己做，效果都很好。

怡然：

　　做了近一个月的转关节，感觉非常好！刚开始时每天能3~4次大便，是绿色的，稀的。一周之后，逐渐变为每天1次，还是绿色的。到20天的时候，大便真的像有的大夫说的那样，是黄色的香蕉一样了，非常健康！而且头发也不像原来掉那么多了，睡觉也踏实了！

4. 强壮我们身体和心灵——道家养生功中的"撞丹田"

> 这个功法，可以说适合每个想要身体强壮的人，如果您觉得"心有余而力不足"，如果您觉得"有劲使不出"，如果您觉得"心神不定，魂不守舍"，如果您觉得"体力透支，难以积蓄"，我想，您都可以从"撞丹田"中找到解决之法。
>
> 我给您推荐这个方法，其实更想看到的是您能撞出勇气，撞出自信来。生活本来就是要去感受烦恼、感受恐惧、感受疾病，这些都无去逃避，那我们就迎着它，撞击它，借着"撞丹田"，撞出您心灵的感吾，撞出您身体的强势，撞出您心底的力量。

人活斯世，我们不想只满足于不生病，不想自己是一个易碎的花瓶，每天都要小心翼翼地抱在怀里，生怕有一点磕碰。我们想让自己更强壮，就像那路边的荆棘，禁得起风雨严寒，禁得起路人踩踏。既然知道我们都是老天的儿子，那么我们还有什么办不到的事情呢？强壮的方法，自古就有，而且我们每个人都有这份权力。如果有人问，我需要做些什么准备呢？我说，只要您拿出一点自信，咱们马上就可以开始。

但您以为这点自信真能那么痛快地拿出来吗？很多人根本拿不出，他们等待着我去给他们，他们说，只有掌握了高超技法的人才会有自信；只有修炼得道的人才会有自信；只有本身就强壮的人才会有自信。对于他们这些原本虚弱的人来说，还需要慢慢地积累知识，慢慢地储备能量，增长勇气，常言说得好，循序渐进嘛，怎么能着急呢？乍一听，他们的这种说法很有道理，其实，一切的积累，一切的储备，一切的增长，如果不是以自信为前提，那么无论拥有了多少，您的内心仍然会犹疑不定，因为您永远都会觉得自己没有资格，总是弓着身子走路，怎么可能有高大的一天呢？长久的力量不是外来的，它就在您的内心当中。一念之差，就将改变人一生的命运。

有人说，我们不喜欢听空洞的理论，那么，咱们就来点儿实际的。今天向朋友们推荐的是道家养生功中的"撞丹田"。

少林武功中有一个强壮身体的方法叫做"铁布衫"，就是用一个装满石子的细长沙袋来敲打腹部。我小的时候，家里有很多这样的沙袋，在我四五岁的时候，爸爸就让我拿沙袋每天敲打肚子和两肋，结果练成了"钢肚"。上学的时候，我经常让班上的同学用拳头来打，打得他们个个气喘手疼，我却仍然谈笑自如，而且觉得肚子暖洋洋的，舒服极了。但随着年龄的增长，便逐渐更注重身体的养生，发现"铁布衫"的功法过于刚猛，而且由于在击打的瞬间要闭气绷紧肌肉，有违养生"自然顺随，松静合一"的要旨，便选"撞丹田"取而代之了。

对"丹田"的具体位置，自古说法不一，通常分为"上丹田"——两眉间；中丹田——两乳间的膻中穴；下丹田——脐下1寸3分。今天要撞的就是这个"下丹田"。咱们要撞的不是一个点，而是一个面，

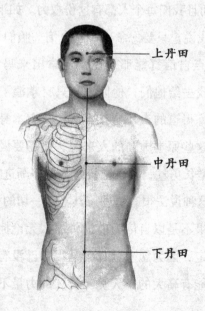

上丹田

中丹田

下丹田

位置就在肚脐上下左右巴掌大的一块地方。

"撞丹田"可以说适合于每个想要身体强壮的人，它将帮您找到人体的能量库，让您体会身心合一的境界。

找个像水泥电线杆一样粗细和平滑的大树来撞，效果最好，我家里有一个20公分宽的平整的门垛，我觉得也很方便。两腿略分开，站在树前，肚子离树干15公分，然后用肚脐去撞树就可以了。

动作要点：开始撞时，力量一定要轻，幅度要小，最好穿运动衣裤（以防皮带或纽扣硌到皮肉），撞的时候全身放松，不要憋气，不要绷紧肌肉。请先感受一下撞"丹田"时腹内脏腑和心里的感觉，可以闭上眼睛，仔细体会，呼吸自然而悠闲。说是"撞"，其实那是以后的事，开始练习的时候，应该叫做"靠"更为准确。每天撞个几分钟，慢慢地，您多半会撞上瘾呢！

这个功法，可以说适合每个想要身体强壮的人，"丹田"是人体的发力点。如果您觉得"心有余而力不足"、"有劲使不出"、"心神不定，魂不守舍"或者"体力透支，难以积蓄"，我想，您都可以从"撞丹田"中找到解决之法。

"撞丹田"将帮您找到人体的能量库，使您真切地感受到什么是人体的"内力"。很多人打坐难以入静，"撞丹田"却可让您轻松达到身心合一的境界。

"撞丹田"会使您的内力增长得很快，一段时间后，您就可以从"靠"自然转成较为有力的"撞"了。这时，您会发现原来腹部松弛的赘肉少了很多，取而代之的是柔软而富有弹性的肌肉，这种肌肉没有突显的棱角，与健美运动员的完全不同，但远比后者的更为结实。

如果有年轻的朋友想练成"钢肚"的话，这种方法，就是最安全有效的捷径，若每天坚持，大概3年时间，当您气运丹田的时候，差不多就可以像汽车轮胎那样强健了。

要注意，撞丹田的禁忌人群有三：孕妇及腹部有过较大手术的人；有急腹症及腹部有肿物或有出血病灶点的人；撞腹后感觉不适以及对此功法心有疑惧的人。

练此功要顺其自然，不可急功近利，与"推腹法"（参见《求医不如求己》P86～P88）同练，效果更佳。有些朋友肚子上的赘肉较多，用推腹法根本没啥感觉，一撞丹田便发现敏感点了。这时再用推腹法，则事半功倍。

"撞丹田"的好处太多，我把它当做最方便的养生法，我经常在心烦时撞、疲劳时撞、生气时撞、忧虑时撞，总之，感觉它是个力量的源泉，取之不尽。

我给您推荐这个方法，其实更想看到的是您能撞出勇气，撞出自信来。生活本来就是要去感受烦恼、感受恐惧、感受疾病，这些都无法逃避，那我们就迎着它，撞击它，借着"撞丹田"，撞出您心灵的感悟，撞出您身体的强势，撞出您心底的力量。

■ 感悟《求医不如求己》

宝石流霞60：

我没有门垛，只是看电视的时候用拳头敲打肚脐附近，轻重可自己把握。我昨天第一次敲，顿觉神清气爽。

福星照：

向老师及各位汇报一下我这两天的感受：我觉得非常有助于排便，这两天我排便正常，而且非常顺畅。这对于有便秘的人来说，一定会有好处的。另外，因为找树撞不方便，也不好意思，我就在家找任何一个门框角来撞，方便也有效，大伙不妨试试。

有心人：

撞丹田的方法，能否用双手拍打腹部代替呢？如果只是对墙撞，我试了一次，感觉腹部很凉，后来用双手拍打肚脐到关元的区域，感觉皮肤很热，还有点发麻发痒的感觉，这样是否效果相同？

中里巴人：

"撞丹田"这一功法，只是一个基本模板。各位可根据自己的理解、方便、环境、体质，自行改造发明。法无定法，可行就好。

心事重重：

压力大，心情抑郁，总觉得胸中有股气堵在那儿，想使劲地长吼几口气，把胸中的郁气排出去，可有什么方法治？

高徒：

"撞丹田"专门治这病。

5. 来自天涯的宝贝——敲带脉

敲带脉是治疗便秘的妙方。

可调理不正常的月经，是自古以来治很多妇科病的良方。

可以快速减肥和美容。

前两天，有个叫"慢慢"的网友在我的博客评论上推荐了一个网址，说那里有个治疗便秘的妙方，但不知是何原理，请我帮忙看一眼，详细解释一下。我赶紧过去寻宝，原来是一个叫天涯社区的网站，有个网名叫做"熊熊和宝宝"的女士发出的帖子，她介绍说：

"方法很简单，你躺在床上，然后用手轻捶自己的左右腰部，100次以上就可以，不用刻意。我一般是睡觉之前捶，第一次捶完了，第二天还没有什么反应，但是到了第三天就开始排山倒海地拉肚子了，非常神奇。

这还不算什么，神奇的在后面，我从第四天开始，食欲就减低了非常多，一点都不想吃东西了，尤其是肉类，还有就是外面做的食物，只可以接受清淡的家常菜，或者是素菜。然后排便还在进行，顺利得很，可是食欲越来越低，人也不觉得哪里不舒服，就是很明显地抵制吃东西，自然就没有了食欲。

如果你有兴趣试试的话，完了告诉我你是不是也食欲减退。因为我看到别人介绍这个方法的时候只提到了便秘消失，没有说降低食欲，我不知道是不是我自己体质的问题……每天都感觉身体更轻松了。而且我的痘痘也都扁下去了，疖子也渐渐消失，一举两得！"

我看了这个帖子，感到很兴奋——又是一个超级简单的健身法，但效果真是如此神奇吗？我需做一番仔细的研究和实践，起码要保证安全，才好向那些信任我的朋友们隆重推荐。其实我做许多事情不是这般缜密的，通常是感情多于理智，直觉多于分析。如果单单是我自己的话，在没有实践之前，我已经接受这种方法了，我觉得它可行，并且是非常上乘的健身法。因为敲的那个地方是人身体当中很重要的一条经脉——带脉。

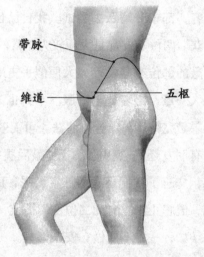

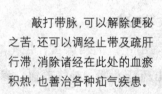

敲打带脉，可以解除便秘之苦，还可以调经止带及疏肝行滞，消除诸经在此处的血瘀积热，也善治各种疝气疾患。

取"带脉"为名，有两层含义：一是此经脉像是一条带子缠在腰间，二是因为与妇女的经带关系密切，按现代的话说，就是专管调理月经及妇科各器官功能的重要经络。带脉是奇经八脉之一，有"总束诸脉"的作用。人体其他的经脉都是上下纵向而行，惟有"带脉"横向环绕一圈，好像把纵向的经脉用一根绳子系住一样，所以哪条经脉在腰腹处出现问题，如郁结气滞，瘀血堵塞，都可通过针灸带脉的方法来进行调节和疏通，而且带脉上的三个穴位"带脉"（与经同名也叫"带脉"）、五枢、维道，又全都压在胆经上，所以敲击此处有同于敲打胆经之妙。

有网友担心，这样一敲会不会敲坏肾呀？其实从解剖位置来看，敲击的位置离肾还很遥远，那个位置应该是结肠的部位，右侧为升结肠，左侧为降结肠，震动结肠，应该是有利于通便的。而且是平躺着，对于稍微胖些的人来说，正好敲的就是腹两侧"草帽圈"的赘肉。肉又多，敲得又轻，还是很安全的。

于是我将此法告诉了老婆还有两位女性朋友，她们一听可以减肥和美容，都十分踊跃去尝试。我自己也每天敲打两次，看看有无额外的收获。两位朋友都是大便较为正常的人，所以反馈说，无异常变化，只是敲的部位有些发痒，大便似乎更顺畅了些。老婆也说大便比往常要量大一点，敲着比较舒服。本人也试过几次，感觉此法很平和，觉得如果敲完带脉再结合推腹法，可能效果更佳。

有朋友还是会担心：若是敲后腹泻不止，消瘦厌食，岂不麻烦？其实，您忘了咱们还有两件宝贝呢！山药薏米粥，补气养血；参苓白术丸，健脾止泻。有此二位保驾护航，您还有什么后顾之忧呢？当然，若是孕妇，一定不要做，安全第一。

用带脉来治疗妇科病，古时是常用之法，有调经止带及疏肝行滞的作用，最善消除诸经在此处的血瘀积热，同时也是治疗各种疝气疾患的必选经脉，但现代的针灸师大多忽略此脉而不用了，因为，即使是专业的教科书，对"带脉"的介绍，也只是寥寥数语，一带而过，没有更多临床的分析和总结。所以今天重新来敲打带脉，想来是一件很有意义的事情。就像是不经意的挖掘，或许就挖出财宝来。

这"熊熊和宝宝"的宝贝，是网友"慢慢"从"天涯"运来的，看来咱们这里真成"聚宝盆"了。大家分享的时候，请别忘了谢谢这二位好心的朋友。我在此先行一礼。

感悟《求医不如求己》

感恩的心：

　　敲带脉第四天了，每天早晚各敲 100 多次，敲完后打嗝放屁，很舒服。重要的是这几天排便次数增加（以往一天 1 次，很干）。现在每天 2~3 次，成形稀便。并且坚持用拳头击丹田，身体轻松了，体重逐渐下降。欣喜中！中里老师功德无量！想减肥的同志可以试试，真是求减肥药不如求自己！

太好了：

　　这个方法不错，我前几天都试了，每天大便都是早上，很准时，而且排得很干净，感觉身体很轻松。

YIREN3：

　　用空拳头直接敲肚子效果也不错，我就试了试，而且连整个肚子都敲了。早上起来敲那么几分钟，大便就顺畅很多，接下来几天都是早上起来或者早餐过后就大便，很顺畅，一天都精神。如果几天不敲，就又像以前那样没有规律了。看来每天多敲敲，把自己的妇科病也可以调理好，那多好啊！因为困扰很多女性的妇科病在医院是根本除不了根的。

6. 减肥要和自己的喜好结合才有效

减肥其实可以很简单地完成，而且对身体毫无损伤。胆汁与胰腺正是消解人体多余脂肪的两位干将。将这二位的积极性调动起来，才能迅速解决肥胖的问题。

每每和女性朋友们谈到减肥的话题，顿时大家就会眼睛发光，兴致盎然。其实许多女士，身材匀称，体型丰满，非常健美，但仍迫不及待地要修炼成"魔鬼身材"。"瘦"似乎已经成了现代人刻意追求的时尚。

但瘦也要瘦得健康，瘦得结实，瘦得精神才好。如果减肥减到面色灰暗，浑身无力，无精打采，皮肤松弛，一副病快快的样子，甚至真的有了机体功能紊乱的问题，那真是得不偿失。

通常的减肥，并不是一件轻松愉快的事情，要每日节食，而节的食也都是最爱吃的美食。看到喜欢的佳肴而不敢吃，心里的感觉最为不爽。况且还要经常忍饥挨饿，简直成了苦行僧，好像执意要与身体作对。凡是令身心抵触的做法，都很难持久，常常要以失败告终。这种屡试屡败的经历，对自身精神的伤害远大于减肥。它会人为地制造一种心理上的挫败感，使自己丧失自信。所以，我们最好能让我们的目的和我们的喜好统一起来，能和我们的身心协调起来。这样去做事，既轻松愉快，又容易成功。

减肥其实可以很简单地完成，而且对身体毫无损伤。影响减肥的最大问题就是中医所说的"肝郁，脾虚"。肝郁使胆汁分泌不足，脾虚使胰腺功能减弱，而胆汁与胰腺正是消解人体多余脂肪的两位干将。只有将这二位的积极性调动起来，才能迅速解决肥胖的问题。

　　肝郁我们的消解法是：常揉肝经的太冲至行间，大腿赘肉过多的人，最好用拇指从肝经腿根部推到膝窝曲泉穴 100 次，这通常会是很痛的一条经，每日敲带脉 300 次，用拳峰或指节敲打大腿外侧胆经 3 分钟，拨动阳陵泉一分钟，揉"地筋" 3 分钟。这样肝郁的问题会很快解决。

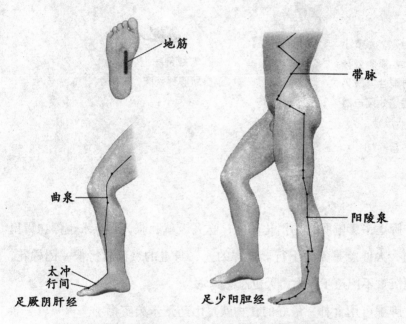

地筋

带脉

曲泉

阳陵泉

太冲
行间

足厥阴肝经

足少阳胆经

　　常揉肝经的太冲至行间，从肝经腿根部推到膝窝曲泉穴 100 次，每日敲带脉，大腿外侧胆经 3 分钟，拨动阳陵泉 1 分钟，揉地筋 3 分钟，解肝郁，减肥快。

　　肝郁也是乳腺增生、子宫肌瘤、卵巢囊肿等许多妇科疾病的主因，还有痛经、黄褐斑、偏头痛等病症也与肝郁关系密切，减肥若能连带预防妇科疾患，那才更有长远的意义。

敲带脉擅消"游泳圈"（腰旁赘肉），敲胆经易减臀部和大腿上的赘肉，此二法实为一法，都是在疏通胆经，因为"带脉"也是胆经在腹部的一段。如果用此二法一段时间，并未有明显效果（应该大便增多或食欲略减），那咱们就用第二招，先从增强脾经入手。

经常按摩小腿脾经，点刺公孙穴，再配合内服粥药，健康效果自然更上一层楼。

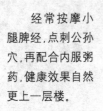

公孙

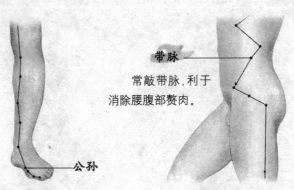

带脉

常敲带脉，利于消除腰腹部赘肉。

脾虚最影响肠胃的消化功能，吃完饭就肚胀，喝点水也停在胃里不动，大便总是无力下行。这样的人，身上的赘肉软得像一团棉花，两腿沉重不愿迈步，大白天也总想睡觉。

脾虚可用食补，最好的食物就是山药薏米芡实粥了。胃寒可去薏米；胃热可去芡实、山药，换成绿豆，绿豆薏米粥，最祛湿热，对于肝旺脾虚，舌苔黄腻的人，最为对症。

如果胃寒、怕冷又脾虚的人，附子理中丸当为首选，此药祛寒湿而养胃，扶中气而健脾。如果吃一点东西马上就饱胀难消，那是心脏功能虚弱，供给胃用于消化的气血不足，此时补心就是健脾，柏子养心丸最堪此任。此药补心又养肝，安神又通便，若总是心神不宁，气短乏力，大便难下的人服此药最为恰当。

每日空腹多吃些小枣，既补血健脾，又益气通便，大枣补血力强，小枣活血力强，暑日以小枣为佳。有人说喝了山药薏米芡实粥，反而腹胀，认为自己是虚不受补，其实是因为您腹中浊气太多，平日无力排出，而此粥补气最快。清气生必然驱赶浊气，两气相争，一时难出，便觉饱闷腹胀。此时喝一碗白萝卜汤，胃寒重的可再加上点胡椒粉，自然胀随屁解，腹中顿时畅快。此时再喝山药薏米芡实粥，便觉顺下无碍了。此外，经常按摩小腿脾经，再重点刺激公孙穴，配合内服粥药，健脾也并非难事。

说了半天调理脾胃，没谈"减肥"二字。其实，脾胃功能健旺，减肥自是随心所欲的事情。

身边有许多朋友只敲带脉、推腹就能顺利减肥，但也会有人效果不佳。其实无妨，用这些方法，会得到许多额外的好处，无意中祛除了慢性病，可能比减肥更有价值。

感悟《求医不如求己》

远方：

我给朋友介绍的方法更简单：想瘦哪儿就敲哪儿。通常哪个地方的赘肉多，说明经过这里的经络出了问题，你敲打这里，会把气血集中到这里，气血集中过来，此处的经络运行旺达，赘肉就会搬走了，自然就达到打哪儿瘦哪儿的目的了。此法简单易学，乃受陈玉琴老师网上理论和郑老师关于小肠经的文章的启发想到的，有心人可以验证。有一点需要说明，在敲打后，敲打部分可能会先胖起来，这是细胞充水的表现，然后才会瘦下去。

人体其实就是一个很天然的药库，真正能正确地使用好这个药库，就不用求医。

7.让生命的每一天都有神医的护佑——奇妙的足底反射疗法

足底反射区疗法功效卓著，但必须接通反射区和病灶点的线路。所以，能否找到断点，并将其连接，才是此技术的心法要诀。若精于此，足底按摩这个寻常保健之法，马上可以身价百倍，变成治病奇方。

我在我的文章和网友留言回复中多次推荐足底反射区疗法，但总没有得到大家足够的重视，其中有一个非常重要的原因，就是有许多朋友都是经常在外面做足疗的，但并没有感到有什么神奇效果，也许认可其保健的功效，但其治疗的作用，却一直被轻易地忽略。昨天，正好碰到一个很好的案例，拿来与朋友们共享，只是想让大家再发掘一下自家的"后院"，或许还有许多财宝没有发现呢!

昨天晚上已经10：30了，邻居家刘姐的儿子来敲门，说他妈妈突然犯胃痛，痛得都直不起腰了。我到她家的时候，见刘姐侧躺在床上，蜷缩着，痛得连话都说不出来。我问了一下起因，说是刚吃了个苹果，然后就胃痛，还有些恶心想吐，且心脏位置也不舒服。我急掐了她左

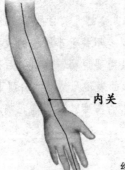

—— 内关

掐按内关穴,可迅速
缓解胸闷、恶心等症状。

手的内关穴（若胸腹同时出现症状，这个穴是有效的）一分钟，她说胸不难受，也不恶心了，只是胃痛依旧，毫无缓解。

她儿子说，刚才已经帮妈妈做了半个小时的足底按摩，揉的是胃和小肠反射区，还有下身淋巴反射区、心脏反射区，没有一个地方管用，而且哪里都不痛。

刺激梁丘，足三里或地机，接通足部十二指肠反射区和病灶点的线路，可快速治好胃痛。

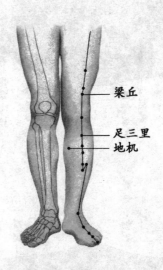

梁丘
足三里
地机

刘姐是一个非常重视养生的女士，每周都要去健身房锻炼，去做足底按摩，足底的穴道知道的比专业按摩师都清楚，她常常自夸说，自己可以去办足底按摩班了。看她痛的位置是在胃脘部，又是突发性的，于是我选取了胃经的郄穴梁丘（郄穴治急），不痛，选择足三里（合穴治腑），无觉，便皆不用。再选脾经的郄穴地机，痛不可摸，于是我便按住此穴不动（以其耐受度为准），然后让她儿子再来按摩脚底的反射区，她儿子只轻轻按了一下她十二指肠反射区，刘姐的脚马上像触电一样，急忙缩回，说："痛死我了!"。但只要我一松手，不按地机穴，再按脚上十二指肠反射区，就又没感觉了。于是，我按住地机

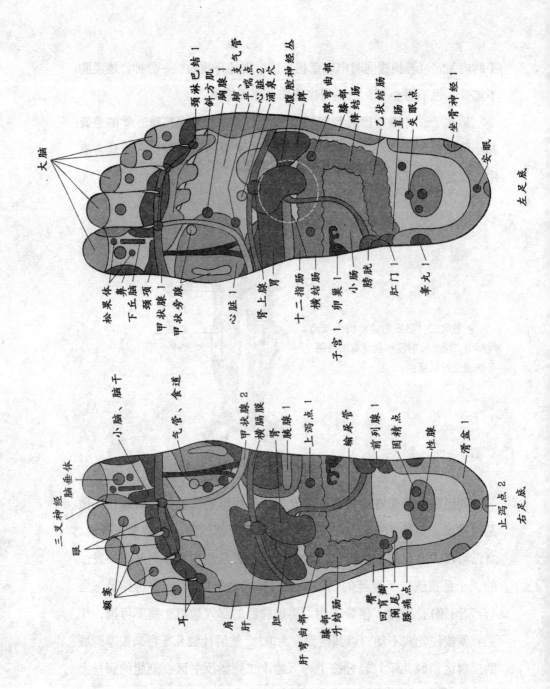

左足底

右足底

大脑

松果体
鼻腔
下丘脑
颈项
甲状腺 1
甲状旁腺

心脏 1

肾上腺
胃

十二指肠
横结肠

子宫 1、卵巢 1
小肠
膀胱
肛门 1
睾丸 1

颈淋巴结 1
斜方肌
胸腺 1
肺、支气管
平喘点
心脏 2
涌泉穴
腹腔神经丛
脾

脾弯曲部
膝、降结肠
乙状结肠
直肠 1
失眠点

坐骨神经 1

安眠

三叉神经
眼
脑垂体
小脑、脑干

颈窦

耳

肝

胆

肝弯曲部
膝部、升结肠

气管、食道

甲状腺 2
横膈膜
肾
胰腺 1
上泻点

输尿管
前列腺 1
固精点

性腺

滑盆 1

下泻点 2

阑尾、回盲瓣
回盲
腰痛点

穴不放手，然后让她儿子仔细按摩反射区，只两分钟，刘姐觉得胃脘已经不痛了，肚子开始"咕咕"地叫起来，并感觉胃肠在蠕动。这时，我松开手，但地机穴还是疼痛不减，我说："好了，这下反射区和脏腑的病灶点接通了。"我又帮她摸了一下脉，"肝旺脾虚"之象，看来又是生气造成的。但平日刘姐对外总显得极为开朗，常是笑声不断，所以我也就不便指出人家的病因了。

足底反射区疗法功效卓著，但必须接通反射区和病灶点的线路。所以，能否找到断点，并将其连接，才是此技术的心法要诀。若精于此，足底按摩，这个寻常保健之法，马上可以身价百倍，变成治病奇方。很多人崇尚正统疗法，不屑于此。还有人在学习一种新的技法之前，总是疑心忡忡，担心会有什么副作用，反复让我解释说明，似乎要给他打个保票才成。如果是这样，我会对他们说：哪种方法没有危险呢？走路还会崴脚，更何况还是心惊胆战地走路呢？

其实一切无非投缘，看着喜欢就亲近，看着讨厌就疏远，没什么原因好讲的，去寻找属于自己的那片天空吧！

■ **感悟《求医不如求己》**

静悟：

对于足底按摩，我的理解是：

1.哪疼按哪。如果你觉得你脾胃不好，而脚底相应的反射区按着酸疼，那就按摩直到不疼为止。

2.但如果你觉得脾胃不好，但脚底反射区不疼，那就说明存在断点，这时就要循经从脚底往上找，把断点找出来，再按郑老师的方法技上断点。

3.从郑老师的书中，一般治疗的顺序应该是：先把脾胃调理好，也就是先按摩脾胃的反射区，再调理其他的脏腑。急性病除外。

宝石流霞 60：

　　我儿子 17 岁，平时肝火旺，易怒，我就着重给他按太冲到行间，还有大拇趾（管大脑）、其余四个脚趾的中间部分（管眼睛和耳朵），又想到他平时常说腰酸，我就重点按他肾经的复溜、太溪，顺便按涌泉、大都、商丘，加上平时敲胆经，几个月坚持下来，儿子脾气好了许多，主动求上进了，现在想的是"怎样提高分数"，待人有礼貌了，与同学的关系也融洽了许多，这跟每天的足底按摩有很大的关系。郑老师说过，胆经是忧虑的出口，我明显感觉他的情绪在变好，幽默了许多，所以我很有信心，继续努力。

Newborn：

　　我就是这个疗法的受益者。一直被霉菌性阴道炎困扰的我，在按摩足部阴道反射区、子宫反射区、还有下身淋巴结反射区后，这个以前用什么药都没有用而让我几欲绝望的病，真的就再也没有复发过，这让我第一次领略了足底按摩的神奇功效！还有，前几天喉咙难受，又痒又疼，还有右脚背外侧靠近那块突出的圆形骨头处，也开始一阵阵地疼，我马上意识到这可能是身体给我的信号，我就按啊按，直到痛不可触，还出了淡淡的乌青。结果第二天喉咙就好了，后来我查了一下，那块地方正是上半身淋巴结反射区！

　　这让我坚信足底反射疗法的快捷有效，也希望大家都开始学会倾听身体的声音，坚持求医不如求己的探索精神，让治疗的过程变成奇妙的旅程，在途中得以重新认识自己，得以新生。

路过蜻蜓：

　　通过这段时间的坚持实践，本来体弱多病的我，心情乐观平和了很多，这和身体的舒调绝对密不可分的。另外，老公的脂肪肝好了，胃病也在好转。我教姐妹们一个窍门：替老公按足底胃部反射区，按时疼痛难忍，但后来会非常舒服，既治了病又"报仇解恨"，双赢！你可以把平时的小抱怨都用在手劲上，看着他疼得抓狂，回头还总上瘾，主动求你施刑，老婆们乐不可支，小小变态心理，呵呵。

8.可以终生相依的朋友——善补气血的山药薏米芡实粥

> 如果说这世界上还能找到不计利益、甘愿付出、并全力帮忙的朋友，那么山药、薏米、芡实则当之无愧。这是那种不急不躁、从容有力、可以托付一生的朋友，会在我们百般无奈，需要帮助的时候，给我们以最无声、最持久、最平和的帮助。它们在《神农本草经》中都被尊为上品。

很多朋友患有慢性病，症状很多，从头到脚，好像就没有舒服的地方，病虽不是很危重，但总是迁延不愈，时好时坏，令人烦恼不堪。其实这些朋友的当务之急是要培补气血，气血充足了才有抵御病症的资本。

如何补气血才是最快捷最有效的呢？中医说：脾胃为后天之本，气血生化之源。所以我们要想气血充沛，必须要先把脾胃调养好才行，有些人吃一点东西就饱胀不适，难以消化；还有人吃下东西，不能很好地吸收，或腹泻，或便秘，或不生精微而生痰涎，或不长气血而长赘肉，诸般问题，皆因脾不健运而造成，所以补益脾胃是改善体质的前提和关键。如果脾胃连五谷菜蔬都难以消化，那么药物就更难于被吸收了。

有些人因肾虚而吃补肾的药，但补肾药多味厚而难于消化，通常肾没补上，却成了脾胃的沉重负担，最后，补药停滞不消而成为毒素，所谓的虚不受补，便有脾胃虚而难于消化之意。还有人心肝火旺，常年需服用寒凉之药以清热解毒。岂知寒凉之药最伤脾胃，这就像常年把自家的庄稼地当做战场一样，最后，就算不被敌人打败，也会因无粮草而饿死。所以我们一定要给自己一些储备——气血的储备。只要粮草充足，我们就没有什么可怕的。怕只怕我们已经没有能力再制造新鲜的气血了。很多病人只因不能纳食，无法吸收营养而丧失了最后反戈一击的机会。只要我们还能挣来钱，我们就还有的可花，我们就能够坚持到最后的胜利，抵御疾病是要有本钱的。

如果说这世界上还能找到不计利益、甘愿付出并全力帮忙的朋友，那么山药、薏米、芡实则当之无愧。这是那种不急不躁、从容有力、可以托付一生的朋友，会在我们百般无奈的时候，给我们以最无声、最持久、最平和的帮助。它们在《神农本草经》中都被尊为上品，"凡上品之药，法宜久服……与五谷之养人相佐，以臻寿考"。我们需要经常和真正的好朋友在一起，一生都要相伴，但我们不会厌倦。有几个时时都支持您的朋友，难道不是我们的福气吗？

对于衰弱高龄的老人、先天不足的幼儿，还有那些身染重病的患者，我常常给他们同样的建议，那就是去喝山药薏米芡实粥。有人问，光喝粥能管用吗？能快速增长气血吗？如果您喝粥都不长气血的话，那看来没有可以进补的东西了。通常的食物，即使是那些可以增长气血的食物，我们想要获取它们的营养，也要先投入一些气血来消化吸收它们，可对于气血太弱的人，连这点气血也拿不出来，而山药、薏米、芡实，是不需要我们额外的支出而却能直接供给我们气血的良药美食。

先来说说山药，山药其性甘平，气阴两补，补气而不壅滞上火，补阴而不助湿滋腻，为培补中气最平和之品，历来就被众医家大加赞誉。《本草纲目》云其："益肾气、健脾胃、止泄痢、化痰涎、润皮毛。"《景岳全书》云："山药能健脾补虚，滋精固肾，治诸虚百损，疗五劳七伤。"《药品化义》云："山药温补而不骤，微香而不燥，循循有调肺之功，治肺虚久嗽，何其稳当。"清末最有名的大医家张锡纯对此药更是推崇备至，在其医学专著《医学衷中参西录》中曾屡用大剂量生山药一味，治疗了许多诸如大喘欲绝、滑泻无度等危急重症。其言："山药之性，能滋阴又能利湿，能滑润又能收涩。是以能补肺、补肾、兼补脾胃……在滋补药中诚为无上之品，特性甚和平，宜多服常服耳。"山药品种较多，河南怀庆府也就是今河南省沁阳市所产的品质最好，所以通常山药也叫怀山（或淮山）。药用时通常要干燥切片。药店有炒山药和生山药两种，建议用干燥后的生山药较好。

再谈谈薏米，如果您的体内有湿气，如积液、水肿、湿疹、脓疡等等与体内浊水有关的问题，薏米都是您最好的帮手。"薏仁最善利水，不至耗损真阴之气，凡湿盛在下身者，最宜用之。"薏米性微凉，脾胃过于虚寒，四肢怕冷较重的人，还是不太适合的。李时珍说孕妇忌服，可能也是怕利水太过，把羊水也利干了，虽然在现实应用中并未见对孕妇有什么危险，且常有相助之益，但为安全起见，权且听他老人家的吧。薏米的主要功效在于健脾祛湿，健脾可以补肺，祛湿可以化痰。所以，本品亦可用于治疗肺热、肺痈、肺痿之症，和山药同用，更是相得益彰，互补缺失。"山药、薏米皆清补脾肺之药，然单用山药，久则失于粘腻，单用薏米，久则失于淡渗，惟等分并用乃久服无弊。"近代医家曾指出，用两药各 50 克，每日熬粥，对肝硬化腹水有明显疗效。我们何苦非要等到病重如此再去喝粥呢？平日即将二者打粉熬粥常服，岂不是明智之举？况且此粥美味可口，常吃不厌。有人说，粥有药味，且酸苦难喝。这恐怕是由于您选料的品质不好。由于品种不同，有的山药会略带一点酸味，但却毫不影响粥食的美味。

最后再说说芡实，前面山药、薏米好像把溢美之辞都分而占尽了，其实不然，芡实，更有其与众不同的绝妙之处。如果您是"脱症"和"漏症"，芡实就是一双有力的大手，把您托住，让您的气血不致白白地流失。有人长期腹泻，下利清谷；有人遗精滑脱，其势难禁；有人夜尿频多，无法安睡，这种情况下，就会发现芡实的神奇了。清代医家陈士择说得最好："芡实止腰膝疼痛，令耳目聪明，久食延龄益寿，视之若平常，用之大有利益，芡实不但止精，而亦能生精也，去脾胃中之湿痰，即生肾中之真水。"所以说芡实是健脾补肾的绝佳首选，若能与山药同舟共济，那补益的效果就更佳了。

山药、薏米、芡实是同气相求的兄弟，都有健脾益胃之神效，但用时也各有侧重。山药可补五脏，脾、肺、肾兼顾，益气养阴，又兼具涩敛之功。薏米健脾而清肺，利水而益胃，补中有清，以祛湿浊见长。芡实健脾补肾，止泻止遗，最具收敛固脱之能。有人将三药打粉熬粥再加入大枣，以治疗贫血之症，疗效显著。

这三味药粥虽然好处太多，但仍然有许多人无福消受。体内浊气太多的人，喝完此粥必饱胀难消；肝火太旺的人，必胸闷不适；瘀血阻滞的人，必疼痛加剧。还有津枯血燥、风寒实喘、小便短赤、热结便秘者都不适宜。这就好比您要想引来清泉，就要先排走污水，"陈血不去，新血不生，浊气不除，清气难存"。

还有不喜欢此粥味道的人，也是与此无缘，勉强硬喝也吸收不好。不如去找您喜欢的味道，用心去感觉，总能发现的。

■ 感悟《求医不如求己》

常青藤：

　　我是这样熬山药薏米粥的：买九阳豆浆机的五谷豆浆机那款，然后将山药、薏米、芡实、红枣、桂圆还有大豆、小米等一起放进去，18分钟后就出来一碗香浓的粥，之前我一直都用大豆、玉米、大米、小米等打粥喝的，现在只是改变配料了而已。

白狐：

怎样熬山药薏仁芡实粥才不糊锅？我有个办法很好用，我一直都是这样熬的，从没有糊过锅，现把它分享给各位朋友。

1.首先先买好两样道具，一个是家用的打磨机（超市里都买得到），还有一个最重要是的熬粥的锅，这个锅不是不锈钢锅，而是陶瓷做的煲锅，这是熬粥不糊的关键。

2.头天晚上先把这些东西用水浸泡，早上，把泡好的原料淘洗干净，把坏的拣出去，然后把原料带水倒入打磨机中，水的量已没过原料为准（水太多则不容易将原料打碎）。一般不到一分钟就能打成浆。

3.将打好的浆倒入烧开的煲中，大火烧开后，随即将炉火旋到最小的内火，盖上煲盖，中间搅动两三次，煲 15~20 分钟后即可。这样煲出的粥既粘稠又不会糊锅。有兴趣的朋友不妨一试。

Topofsummer：

已经喝了近一个月的山药薏米粥了，刚开始的时候确实挺难受的，现在想想应该是正常的排湿排毒反应，加上选料不是太好，有一股酸味，差一点放弃了，但坚持到第三次喝的时候，感觉就好多了。现在越喝越上瘾，辅助按揉郑老师在《求医不如求己》中提到的脾经上的商丘、大都两穴（我的这两个穴位都很疼），现在的肠胃功能有了明显的好转，真是高兴呀。

CORONA：

感觉补肾的作用很不错，本来右肾有些虚弱，感到不太舒服，喝了几天就没事了。

Heping：

说到淮山薏米芡实粥的功效，我是确认不疑的。我的父亲1999 年患病中晚期肝癌，结束治疗之后回家，即多管齐下：心理康复，气功锻炼，服用中科灵芝保健品，此外就是天天服食此粥，另外添加了百合、红枣。结果改善了便秘毛病，增加了食欲，如今父亲身体非常好，能吃能睡。此粥功不可没，我逢癌症患者都向他们推荐。

Jnc：

山药可以配合薏米或芡实来吃，各种材料以1：1的比例搭配即可。对于平日有水肿，尿又少的人，可以用山药薏米粥；平日肾虚，尿频，口舌干燥，喜饮水的人，可偏用山药芡实。平日保健，三种均等比例，可以做成山药薏米芡实粥，这和做八宝粥没多大区别，里面还可以放芝麻、核桃、松子、红枣，或是放肉丸、海菜来调味，最起码的量是山药，薏米，芡实，每个人一次至少要各吃30克，比如山药芡实粥，那就是各30克，共60克，打粉，做法和做玉米粥差不多。如果你觉得60克还不够吃，才主张往里面加米，一般情况下，为确保粥发挥最大效果，不主张加米，特别是大米。

对于老人，偏重补脾肺的，山药可以2份，薏米或芡实1份；偏重补肾阴的，芡实可为2份，山药1份；偏重去湿热的，还可以单用薏米，里面可加绿豆。最简单的就是等份服用，方便好记。其实不必如此苛求，不需要跟抓药一样准确。

9. 虎虎生风——决定男子性能力的是肝肾两经

> 锻炼肝肾功能最好的办法，就是把两腿分开劈叉。这时您两条大腿内侧会酸胀紧绷。而这紧绷的地方就是肝肾经的循行路线。肝肾经要一起锻炼，才会协调一致。
>
> 不要今天刚练习，明天就希望有显效。这是一个通过经络重新打造身心的过程，这是一个战胜恐惧，脱胎换骨的过程。

最近，越来越多的男性朋友在私信中向我求助关于性功能障碍方面的问题。有的兄弟刚二十几岁，由于有此隐忧，非常懊丧，对前途失去了信心，整个生活也因此一片阴霾。

我不是性学专家，无法从生理解剖的角度来分析病因。但可以使用经络这个万能的法宝，来重新打造我们的身子骨，简单实用有效。

大家要记住，想要哪里强壮，就要把气血引到哪里，而引导气血灌注的通道就是经络。那么决定男子性能力最关键的经络在哪里呢？就在肝肾两经。

从经络图可以很清楚地看到，肝经是绕阴器而循行。肝主筋，在《黄帝内经》中男子的生殖器被称做"宗筋"。宗筋的意思是许多筋的集合处，也有传宗接代之意，所以俗话说男怕伤肝，女怕伤肾，就是指这层意思。肝是人体阳气的聚集地，男子的阳刚必借此而发，所以肝火旺的人通常性能力也较强。但肝肾的功能必须协同合作，才会持久而无伤。肝若是枪，肾就是弹药。能否强硬，靠的是肝的功能，但能否持久，却依赖肾精的支持。有的人光去补肾而不养肝，就好像虽然有很多木柴，但却是湿的，根本点不着一样。其实肝脏本身就是一个能量仓库，它的功能在于应用，而不是储存。对肝来说，只要把肝的阳气调动起来，就是最好的补益。但有的人已经肝火过旺，就像家里烧的土暖气，若不用盖子盖上火，而是敞开火来烧的话，虽然火旺，却容易很快把煤烧光，而暖气管却不热，能量算是白白浪费了。所以肝的阳气，我们要把它引到它该去的地方。

锻炼肝肾功能最好的办法，就是把两腿分开劈叉。这时您两条大腿内侧会酸胀紧绷。而这紧绷的地方就是肝肾经的循行路线。肝肾经要一起锻炼，才会协调一致。

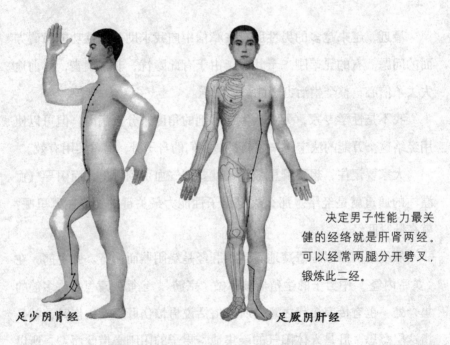

决定男子性能力最关键的经络就是肝肾两经。可以经常两腿分开劈叉，锻炼此二经。

足少阴肾经　　　　　　　　足厥阴肝经

当然，打通任督二脉对性功能也会有很好的帮助，但不如上法简单迅捷。然而即使功法精妙，但您一定要有些耐心和信心才行，不要今天刚练习，明天就希望有显效。这是一个通过经络重新打造身心的过程，也是一个战胜恐惧，脱胎换骨的过程。如果您已经看到了前面的灯塔，那就不妨多走两里路吧！

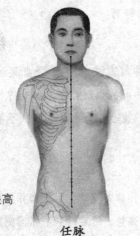

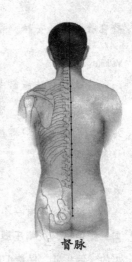

打通任督二脉对提高性功能很有效。

任脉　　　　　　　督脉

感悟《求医不如求己》

阳光灿烂：

　　想要气血充足，可以喝山药芡实薏米粥，吃牛肉，推腹可以把任脉打通；金鸡独立练人体的平衡协调能力；还有四种打通小周天的方法；再加上这个两腿分开的功法，最后的收获就不仅仅是单单一个提高性功能的问题了，什么问题都不可以单一来看待来解决的。

hadhad1：

　　肝若是枪，肾就是弹药。我冒昧地加一句：气血就是弹药的原材料。气血丰盈，自然精满神足，自然性能力提高——不过有意思的是，如果达到气血丰盈，精满神足，就会觉得神清气爽，身轻如燕，那时性事反倒没那么大吸引力了。

阳春百草：

　　有一个这样的功法与老师的"两腿分开劈叉"有点相像：仰卧，枕头以舒适为宜，两脚心相对，两膝外开，腿似环，两手重叠在肚脐上，安静、放松即可。

Msduke：

这是来自陈玉琴老师的方法：把一条腿盘起来放到床上，肝经就是正中间那条，然后用拳头敲肾经，上身的用刮痧板刮，下身大腿根部用真空罐拔，拔上后马上取下来，不要拔出红印，这样肝肾两经就"ok"了。

太极迷：

太极功操中有一个动作非常简单，即双脚并拢慢慢蹲下，然后向一侧伸出，成侧压腿的姿势，然后两只手抓同侧脚踝，身子向伸出的一侧压低，保持10秒，然后站起来，换另一侧。此法可壮阳。

杨树的眼睛：

劈叉两边都要练哦，先后面一只脚跪住，前面一只脚伸直，双手撑地慢慢下去，千万别太勉强了，这个地方拉伤了可不是一天两天能好的。练好一边换另外一边进行练习。

在练习之前，强烈建议先转动手腕和脚腕10分钟。先来个金鸡独立也不错。总之，练习胯部的动作一定要先热身才行，硬撑的话，肯定是要拉伤的。

罗汉堂：

明白卧功里的"还阳卧"的补肾原理了！因为做"还阳卧"的时候，大腿内侧有酸胀紧绷的感觉，尤其是胯部，特别酸痛。

"还阳卧"的练习心法是：身体自然平躺，髋关节放松，腿似环，两脚心相对，脚后跟最好直对着会阴（如果能顶着会阴最好）。两手心放于大腿根部附近，掌心向着腹部。仰卧由于着床面积大，压迫力较小，身体更容易放松，身体的放松加上一定的姿势，可以很快地使阳气和肾气充盈起来。肾阳气相当于命门的真火——一个生命力的大小关键就是看命门的阳气是否充足。摆这个姿势，就是为了更有利于肾阳气的充足，因此补肾的作用非常明显。

第三章

华佗妙手自家生——
人体常见顽疾根除法

我们身边，健身的法宝取之不尽，随时都在我们的眼前跳跃。我们一定要善于捕捉那稍纵即逝的灵感。您只要相信自己，您今天就会有所发现！

1. 用刮痧和掌根按揉法就可以把颈椎病治好

> 只要循序渐进，刮痧法还是很安全的。您可以试着来，不舒服就停手。好的东西，就得亲自尝试，我说得再多，不如您动手刮上一下。当您刮过第一次之后，就会踌躇满志，暗笑道：不过如此。

有人在进行统计后，做了一个现代文明病的排行榜，结果，颈椎病高居榜首。无论在电脑前、办公桌旁、驾驶室内，到处都有它的阴影。它影响思维、扰乱睡眠，让人无法集中精神、心情烦躁，甚至全无自信。

颈椎病虽不是致命的险症，却是恼人的顽疾。按摩、理疗、针灸、吃药，似乎都效果不佳，难道我们对它真的就无可奈何了吗？

要想解决这个问题，就要找到引起颈椎病的原因。其实，颈椎病有两大基本的病因：一是心脏给颈椎供血不足，二是整个脊椎变形老化。第一个问题，我们可以用最简单的方法来解决，那就是用掌根来按揉前胸的胸骨一段（从天突到鸠尾）。颈椎位置的痛点不同，反映到胸骨痛点的位置也不一样。把胸骨按得不痛了，颈椎痛也跟着缓解了。如果在后背的肺俞、厥阴俞、心俞等处先刮痧，或在督脉上找与前胸骨痛对应的地方刮痧，会有更好的效果。第二种病因的解决方法更简单，就是用拳头敲打自己的腰骶骨处，发现疼痛的地方，再用掌根多揉揉。这两个简单的方法，可以缓解颈椎痛，而且自己也很容易独自操作。

要想彻底治好颈椎病，一定要先调理好整条脊椎。可请亲人用掌根从头后发际一直按揉到尾骨，痛点可多按，若能配合我头一部书中讲到的"地板上健康四法"中的壁虎法和踏步法（参见《求医不如求

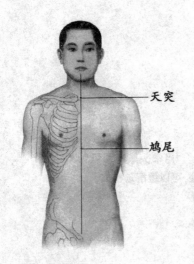

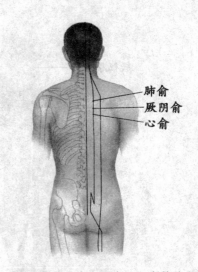

用掌根来按揉前胸骨天突到鸠尾，可缓解颈椎痛。

在后背的肺俞、厥俞、心俞的地方刮痧，或在督脉上找与前胸骨痛对应的地方刮痧，治疗颈椎痛有更好的效果。

己》P100~P101），效果会更好。用掌根揉脊椎，可把脊椎当做一个擀面棍，边按边搓动这根"棍"，也可两只手一起来滚动这个擀面棍，但对老年人及脊椎有损伤的人，不可用此法。若觉得这个方法过于繁杂，还有一个更简单的方法：患者俯卧，亲人在后，一手掌全贴放在颈椎患部，另一手用拇指点按在患者尾骨尖，这就是最著名的"手掌贴放术"，国外已经把它当做一项很先进的方法来研究，不过此方法更适用于对经络感觉较为敏感的人。

　　如果家里有人会刮痧，那就直接在颈椎的痛处刮，一出痧，疼痛马上会得到一定的缓解。对于刮痧，很多人希望我说得更详尽，怕刮不好，或刮坏了。那我告诉您，刮痧不要太用力，像搓澡的力度就行。可以先刮最痛的部位，但要找到痛点所在的经络，最好顺着经络的走向来刮，从上到下，从中间到两边，这样刮出来是一条粗线，不要上

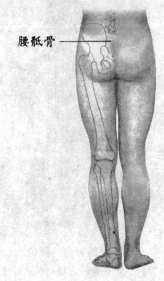

腰骶骨 ——

用拳头敲打腰骶骨
处,可以缓解颈椎痛。

一下,下一下,左一下,右一下。有时痛点不出痧,可能是痛点的位
置较深,而刮痧只适宜痛点较浅的部位,您可以先刮这条经的其他部
位,同时在痛点处拔罐。

　　有些人拿着刮痧板不敢刮,其实这样谨慎是对的,如果面对的是
一个体弱的老人、重病的患者、孕妇以及5岁以下的幼儿,还是不用
此法为佳。心脏不好或贫血的人,刮痧常会令其心慌气短,甚至昏厥。
刮痧还会令血液循环加快,本来这对心脏是一种很好的锻炼,但是开
始的时候心脏常常不太适应,所以,我常让大家在刮痧时准备一些同
仁堂的"人参生脉饮",以补气养心,心里不舒服就喝上两支,同时,
揉左手心的"劳宫穴"(此穴不用找,揉手心就行)。

　　只要循序渐进,刮痧法还是很安全的。您可以试着来,不舒服就
停手。好的东西,就得亲自尝试,我说得再多,不如您动手刮上一下。
当您刮过第一次之后,就会踌躇满志,暗笑道:不过如此。

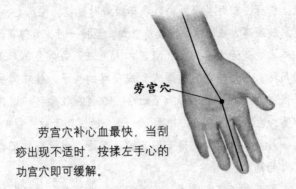

劳宫穴

劳宫穴补心血最快，当刮
痧出现不适时，按揉左手心的
劳宫穴即可缓解。

感悟《求医不如求己》

Juanjuan:

　　我终于买了刮痧板开始刮痧了，昨晚刮出很多痧，在手上臂外侧，马上很舒服，在颈后也刮出很多，也是即刻舒服，像一股暖流从那里经过似的！手臂上刚开始刮的时候很痛，后来出痧了就不痛了。出的都是红色带紫的痧，没有黑色。

飞雪：

　　按足底时，我抱着试试看的心态按了足底的颈椎反射区，结果对治颈椎痛非常有效，一般晚上按左右足底颈椎反射区各2分钟，第二天颈椎部就非常轻松，一点也不痛。我患颈椎痛已经两年多了，痛的时候整个背部、肩部及头部都疼痛难忍，本打算今年8月抽时间住院牵引治疗，7月底看到郑老师的书，开始按足底，无意间发现非常有效，也不用住院了。对我而言，治疗颈椎病按足底反射区很有效。

老山界：

　　我有一个最简单的方法——吊臂法。这来源于一个真实例子的启发：某市某人患肩周炎，群医束手，惟以止痛药缓解。一次，此人突然想，何不运动患肢试试？遂每天乘公车时，伸患肢握吊环或上横杆，初时甚痛，尤以汽车颠簸时更甚，强忍之。下车后，竟觉患肢痛感大减，活动也较前自如。坚持一月，臂痛霍然若失！

本人也久苦于肩周炎，可惜本人上班无需乘公车，遂效仿公车的吊环，用两根较粗的绳索做成吊环的样子，挂在门头上，以双手仅能伸握到为度。每天下班后，双臂握住索环，以自身的重量下坠，左右前后晃动，每次10~15分钟。几天后患臂疼痛大减，不到一月，疼痛已消失得无影无踪。至此，每天坚持吊臂，两年来，未见复发。

有肩周炎者何不试试，既不花钱，也不费时。说白了就是肩膀周围几条经络堵了，周围垃圾堆得太多，粘连了。

2. 献给电脑族们的福音——肩膀痛的自我防治法

> 我们身边，健身的法宝取之不尽、随时都在我们的眼前跳跃，但我们一定要善于捕捉那稍纵即逝的灵感。您只要相信自己，您今天就会有所发现！

很多朋友在电脑桌前一坐一天，这种工作方式要想躲过颈椎病的话，恐怕不是那么容易。我先前的文章里（这些文章可以在《求医不如求己》一书和我的和讯博客上找到），提到了消除此患的绝妙专方——刮痧法，疗效显著，但却无法自己完成，结果引得周围的朋友们纷纷打来电话，说他们的朋友和朋友的朋友都想让我出手相帮，以消除此顽疾。突然发现周围此类病人，太多太多，而我日常事务繁忙，只好一一谢绝，引得怨声一片，让我灰头土脸。本想建议大家"求医不如求己"，现在却引得朋友们都来"求医不如求中里"了。

其实，常在电脑旁，我也一样肩酸背痛，虽会刮痧，也同样是鞭长莫及，所以，自己编了一组小功法，每天练习 5 分钟，效果非常好。功法很简单，没人学不会，都是咱们曾经做过或是司空见惯的。不过所有动作都是虚拟的，需要有些想象力才行。

功法分五部分：

一、3 种泳姿：自由泳、蛙泳、蝶泳；二、左右上手抛球；三、为同学们摇跳绳；四、伸臂开关阀门；五、仰泳休息。

其实，我想很多朋友一看便知其意了。下面我再略加唠叨两句，以加深诸位对此功法的理解。

一、虚拟游泳的 3 种泳姿。您直立，然后开始游泳，先是自由泳，再是蛙泳，然后是蝶泳，每个泳姿做上 20 次就足够了。有人说："我不会游泳，姿势恐怕不太正确。"没关系，其实我游泳也只会"狗刨"，不过在虚拟的情景中，咱们个个都是游泳高手。

二、然后"上岸"来打打沙滩排球。只需左手将球抛向空中，头向后仰，然后，抡圆了右臂在头上一米左右处将球用全掌击出。球个个发向对面的场地，连发它10个球，然后换右手来抛，左手来击球，也发10个。

三、这时您看到不远处有一群活泼可爱的小学生，他们的小老师拿着根长长的麻绳，准备带孩子们一起来跳绳，可是少了个摇绳的，请您来帮个忙，于是您欣然同意。攥着绳子的一头，和他们的老师一边一个，为同学们起劲地摇着跳绳。找到感觉了吗？只转动肩膀，手腕却不可用力和旋转。若觉得一手摇得不过瘾，那就两臂平伸，两手各攥一根绳子一起摇，那才更有趣呢。可以同时向前摇，同时向后摇，一前一后摇，随心所欲。

四、生活中，我们会碰到水管子漏水的情况，这时我们要先关上总阀门。拧紧阀门的动作，我想每个人都不会陌生吧！现在我们要做的就是拧紧阀门，首先，我们要选那种最常用的、红色的、一只手正好握在手中的那种圆盘状阀门。我们直立，两臂向两侧平伸，两只手各自握住一个阀门，开始同时做拧紧阀门的动作。手腕在转，肩膀也在转，转15下，差不多了。水管子很快修好了，可以通水了，那我们就需要把阀门向反方向拧开，再转它15下。这个动作能极好地打通上肢6条经脉。

五、干半天累活，最后该休息一下了，那就做做仰泳吧，这是最好的放松法。做仰泳时节奏要慢，可以闭上眼睛，享受躺在水中休息的闲暇，抬左臂时慢慢地吸口气，抬右胳膊时慢慢地吐气，千万不要憋气，做上20次。这种虚拟的游泳运动，因为没有水的阻力，所以是完全的放松状态，可以使肩膀和颈部得到充分的放松。记住，放松就是祛病的"妙方"。

在写这篇防治肩膀痛、颈椎病的文章的时候，无意中看到了一位叫"蓝蓝月儿"的网友提供的经验分享，其中有一段是不经意中治好颈椎病的方法，太宝贵了，大家一定不可当面错过，这些"不经意"而来的东西，都是无价之宝，是可遇而不可求的。

"蓝蓝月儿"写道："我那时看郑老师写道，'在腹部的阻滞很可能是潜藏的慢性病'，我就找呀找，结果就在带脉的部位找到很硬的块。按着按着，我发现硬块'呼噜呼噜'地慢慢化开了，而且奇怪的是，我的脖子居然好多了（因老待在电脑前，太忙，颈椎疼已经难以入睡了）。"我很感谢这位朋友的无私分享，为我们大家提供了开阔的思维方式。

我们周围，有爱心的朋友无处不在，彼此都在传递着一种美妙的信息，我们身边，健身的法宝取之不尽，随时都在我们的眼前跳跃，但我们一定要善于捕捉那稍纵即逝的灵感。

您只要相信自己，您今天就会有所发现！

感悟《求医不如求己》

药童：

下面介绍两种简单方便的保健活动，送给长期伏案、肩背酸疼的朋友们。

第一种：两脚分开与肩同宽站立，两臂向两侧伸展，左手心朝上，右手心向下，深呼吸，保持这种姿势不变，直至手臂无力支持为止。然后，尽可能慢慢地高举双手过头顶，尽量上伸，掌心相接，然后放下双臂，放松。

第二种：坐在椅子边沿，双脚岔开与肩同宽，平放在地板上，身体前倾，两臂从两腿内侧穿过，两手摸脚背外侧，保持这种姿势几分钟，腰部脊柱会得到伸展，会增加脊柱的柔韧性。

以上活动，由美国医学博士安德鲁·韦尔提供，本人每天都做，效果甚好，在此借花献佛，希望朋友们感兴趣。

张丽：

中里老师介绍的方法真棒！我的左肩膀最近疼得厉害，刮痧后虽有缓解，但是有一个痛点还是很疼，而且只要坐在电脑前时间稍一长，脖子就很僵硬，试用这个方法后，还真是好了很多。我最喜欢"上手抛球"这个动作，做的时候手尽量往高处够，让胳膊及腋下得到伸拉，比较舒服。

自然治愈力：

肩膀痛的自我防治法很简单，首先我们要明白为什么坐的时间长了肩膀就会痛，主要是因为头部给颈椎的压力使椎骨间的间隙变窄，血液流通状况发生改变而导致的后果，所以，缓解压力是最根本的解决办法。一、躺下来休息片刻就会缓解。二、双手交叉放在颈椎后部，头向上仰片刻做牵引也能缓解。三、使用牵引枕30分钟也可以缓解。

蓝蓝月儿：

假如脖子酸痛，眼睛发胀啊什么的，那就按风池比较舒服。另外，把脚腕转到某一个角度，最大限度地用力弯，动作定格在那里，直到很酸为止。手也是这样。我的感觉是把胆经伸开的那个姿势最管用了，其次是让三焦经伸开的姿势比较舒服，然后很长时间就真的不疼了！大家试试啊！

Bsmoon：

我也是颈椎病的受害者，照着中里先生的"游泳疗法"做了一遍，的确挺舒服的。突然想起一句治颈椎病的至简话语——经常要——举头望明月，不要——低头思故乡。当我们不方便"游泳"的时候，抬抬头也是活动颈部的好方法。

3. 鼻炎不能怪鼻子——各种鼻炎的经络调治真法

> 鼻炎分为两种，一种是鼻流清涕，易喷嚏，易鼻塞；一种是鼻流浊涕，花无香，饭无味。前者病在膀胱经、肾经，治宜祛风寒，清脾湿，补肺益肾；后者病在胃经、胆经，治宜清肝火，化痰浊，通肠利胆。我送给大家一个小功法，对两种鼻炎都有一定的效果。

鼻炎似乎是最普遍的病患，周围的朋友十有六七都有此疾，看似小毛病，其实却很难根除。尤其是过敏性鼻炎，更是需要彻底改变体质，才有望治愈，非短期可见其功。

说到鼻炎的调治，我在这里首先要告诉大家的是：鼻炎并不是鼻子本身的问题，光在鼻子上下工夫，不会有持久的疗效。鼻子不过是个替罪羊，其症状反映了脏腑的功能出现了问题。

简单而言，可以把鼻炎分为两种，一种是鼻流清涕，易喷嚏，易鼻塞；一种是鼻流浊涕，花无香，饭无味。前者病在膀胱经、肾经，治宜祛风寒，清脾湿，补肺益肾；后者病在胃经、胆经，治宜清肝火，化痰浊，通肠利胆。那具体如何操作呢？

鼻流清涕、鼻塞者，用刮痧法先刮后背，循督脉、膀胱经，刮到皮肤温热；秋冬遇风喘咳者，用艾条慢灸背俞，沿风门、肺俞、脾俞、肾俞，灸至穴位痒痛；怕冷怕风易过敏者，用取嚏法，喝姜枣汤助力，取到嚏尽方休。

鼻常流清涕者，体内多有湿寒，若胃寒肚冷，可以服附子理中丸以温里；若痰多不渴，易多用参苓白术丸以祛湿，同时要少饮水；取嚏不出者，可服补中益气丸以增心肺之力；若皮肤干燥，喷嚏无力者，可服人参生脉饮，以强心润肤。

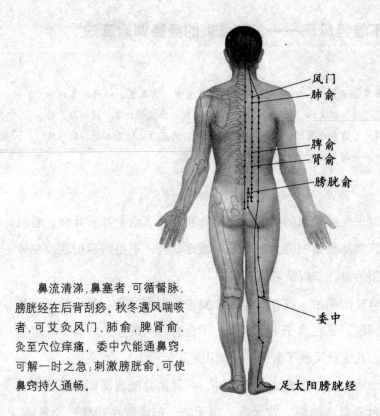

风门
肺俞
脾俞
肾俞
膀胱俞
委中
足太阳膀胱经

鼻流清涕,鼻塞者,可循督脉,膀胱经在后背刮痧。秋冬遇风喘咳者,可艾灸风门、肺俞,脾肾俞,灸至穴位痒痛,委中穴能通鼻窍,可解一时之急;刺激膀胱俞,可使鼻窍持久通畅。

　　鼻为肺之窍,鼻病与肺自有脱不开的干系。"肺主皮毛",皮是皮肤,毛是毛孔。皮肤是人抵御外邪的屏障,易出汗怕风者,毛孔开合不利,风寒最易乘虚而入,"玉屏风散颗粒"内增脾肺之气,外御风寒之侵,可谓表里兼顾。

　　对症的药本就不多,药店又常无货,那我们就不如常服山药薏米芡实粥了。药调不如食补,若能坚持,自然更好。委中穴能通鼻窍,可解一时之急;膀胱俞强刺激,可使鼻窍通畅,且较持久。

　　取嚏后若觉鼻堵加重,为暂时性症状,可用些通鼻窍的中药喷剂,暂时疏通。过敏性鼻炎,其病本在肾,若要除根,还需增加肾的功能才行；可用艾灸条，常灸肚脐下关元穴，后背肾俞穴（也可用拔罐法）和肾经太溪穴。若能表里兼顾，标本同治，过敏性鼻炎，过敏性体质，一样可以脱胎换骨。

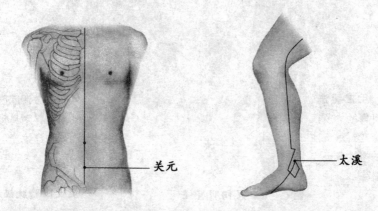

关元

太溪

过敏性鼻炎病根在肾，艾灸关元穴，后背肾俞穴和肾经太溪穴，可以增强肾功能，有效缓解或治愈过敏性鼻炎。

再说一下鼻流浊涕的慢性鼻炎。前段时间，有位30岁的女士，说自己患鼻炎已经十几年了，闻不到饭菜的香味，还常常前额头痛。我告诉她是肠胃的问题，用推腹法，常敲打胃经，多按胃经的丰隆穴。两周后她告诉我，已经能闻到饭菜的香味了，食量增加了一倍，现在又转而担心长胖的问题了。

相对来说，鼻流浊涕的鼻炎要好治许多。市场上的中成药，多对这种鼻炎有效。

有的朋友对吃药很抵触，那咱们就学一个小功法，对两种鼻炎都有一定的效果。

躺在床上，臀部贴墙，不是背靠墙，而是面朝天花板。脚没地方

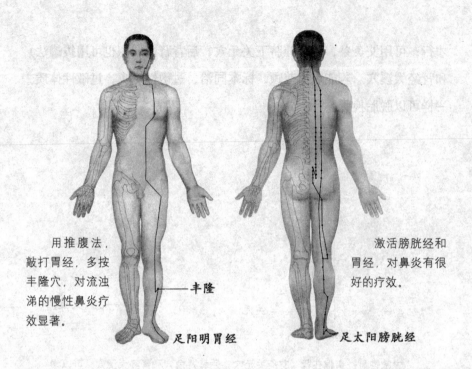

用推腹法，敲打胃经，多按丰隆穴，对流浊涕的慢性鼻炎疗效显著。

丰隆

足阳明胃经

激活膀胱经和胃经，对鼻炎有很好的疗效。

足太阳膀胱经

放了，只好放到墙上去了，墙与床成90度直角，那我们的身体下肢与躯干，也就是90度直角。脚跟紧贴墙，脚心朝天，脚心与胸要平行。这是开始时的姿势，其后两脚同时全脚掌贴墙，腰臀部会自然地抬起来，然后脚心再重新与胸部平行，脚心朝天，为一次。每天抽空做上5分钟，对鼻炎有很好的疗效。那是什么原理呢，我一说，您就清楚了，这个动作，不就是在激活膀胱经和胃经吗？其实，小功法都很简单，您也可以自己发明。自己包的饺子，也许更好吃呢！

■ 感悟《求医不如求己》

普洱叶子：

这个动作类似于瑜伽里的一个放松动作，是借床面和墙面的90度角，将身体折成90度。背躺在床上，脚举到墙上，臀部是这个90度角的转折处。老师说臀部要紧贴墙，是为了保持夹角尽可能是90度，自己照着做就明白了。这个动作在瑜伽里有温暖腹部器官的作用。

营养MM：

中医认为，肺藏气，主收敛，它还有两个作用：肺气内降，则通达于膀胱；肺气外行，则熏泽于皮毛。所以皮肤的好坏也是由肺来主管的。有的人皮肤干，就是因为肺气不外行。

现在人常常在空调房里，也影响肺的宣发，如果胃不降，就影响肺气内降，这样"外感风寒而皮毛闭秘，脏腑郁遏，内不能降，外不能泄，蓄积莫容，则逆行于鼻窍，鼻窍窄狭，行之不及，故冲激而为嚏喷"。过敏性鼻炎，就是这个原理。

4. 养生最要紧的是在经络上温故知新

> 孔夫子说："不愤不启，不悱不发。"真是至理名言。
>
> 我不想害了您一辈子不懂思考，只知信手拈来，又随意丢弃，然后再渴望多得。
>
> 金鸡独立、推腹法、敲带脉、磕头功、补肾功，您认真练了吗？您不必期冀我的新文来增长新知，因为我也不过是新词唱旧曲。我一直在唱的总是一个旋律——求医不如求己。

昨天网上有个小朋友，直言不讳地骂我是大懒虫，总不更新博客，我心里甚是羞惭，童言无忌，也最真诚，我在此虚心接受小朋友的批评，连夜写出一篇，希望还能保住叔叔在你心目中的良好形象。

许多朋友都买了我的第一本书，有的朋友甚至看了好几遍，但收获各不相同，有人觉得拨云见日，豁然开朗；有人却感到阴云密布，疑窦丛生。实践了书中的方法，有的立竿见影，屡试不爽；有的却毫无效验，了无寸功。这全然不同的反应，其实极为正常。

本人三生有幸，几年前偶遇太极恩师李宝良先生。老师弟子众多，很多师兄太极拳打的是"虎跃龙形"，潇洒飘逸，而我的拳法套路打的总是"熊头狗面"，浑混不清。老师平日当众对我也颇有微词，说我太笨，简单的姿势也学不像。但与老师私下交流心得时，老师对我却大加肯定，说我已经悟到了太极拳的心法意趣，至于形体姿势，若愿意打得漂亮些，则赏心悦目，更为理想，若只是寻求太极意境，姿势倒不很重要，照样可以哑巴吃蜜，乐在其中。

今天有个叫"芷兰"的网友，在博客评论中写了这样一段话，道出了我的心声：

"是啊，学些与自己有关的，太对了。昨日，咳得很厉害。唉，诸脏病都会咳，我一点也不知从何下手。突然自己身体给了灵感，腋下一痛，哈，这不是极泉穴吗，心经嘛。《内经》不是说咳在脏，就针这条脏的合穴？好像是这样吧，于是我按少海穴。按了十分钟，果然好多了。

本来，心经我只认识极泉，是看图片无意中记下的，这下，这条经与自己有关了，于是这条经的 9 个穴都熟悉起来了，还知道了少海乃心经合穴!"

这才是学习中医的心法秘诀。

很多朋友来信说，找不准经络穴位，其实这根本不是学习的障碍，即使您知道的经络穴位和针灸专家一样多，也不见得对您有多大的帮助。知识是死的，若不能化成自己的体会，那就等于零。听不到内心

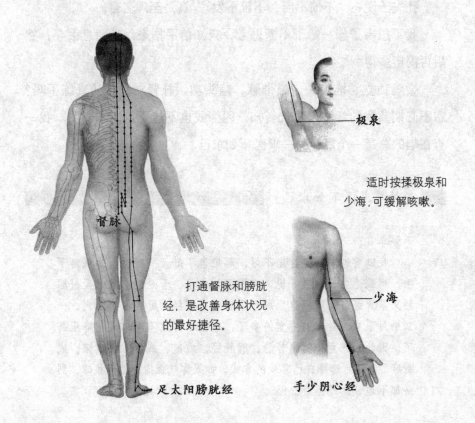

督脉

极泉

适时按揉极泉和少海，可缓解咳嗽。

打通督脉和膀胱经，是改善身体状况的最好捷径。

少海

足太阳膀胱经

手少阴心经

的声音，不会发现灵感，才是您最应该担心的问题。

有人说了，用了你的方法，不管用呀，怎么办呢？

还有人说，我的病你的书上没写着，所以我无从下手呀！

那我就再告诉您一招万能功法，基本上适合于大多数病患的防治。如果您想改善自己的身体状况，却不知从何下手的话，打通督脉和膀胱经就是一个最好的捷径。有人马上会问，怎么打通呀？其实，我真希望您先思考一下，再问。有人说：郑老师，不要保守嘛，还是和盘托出吧！

其实，仓库的钥匙都给您了，还怕您拿走些小玩艺儿不成？只怕您拿在手里，还是不知如何使用。

孔夫子说："不愤不启，不悱不发。"真是至理名言。

我不想害了您一辈子不懂思考，只知信手拈来，又随意丢弃，然后再渴望多得。

金鸡独立、推腹法、敲带脉、磕头功、补肾功，您认真练了吗？您不必期冀我的新文来增长新知，因为我也不过是新词唱旧曲。我一直在唱的总是一个旋律——求医不如求己。

■ **感悟《求医不如求己》**

孤影立雪：

我以前也总感觉这里不好，那里也不好，一时也不知从何下手。想到先生一再教导说：求医不如求己。于是乎，我是又敲胆经又敲胃经，有时间也照顾一下脾经、肾经、肝经及曲池穴。一二个月下来，身体的感觉好多了，也基本可以不用每天吃降压药了。因此，我觉得打通督脉、膀胱经，或敲、或捏、或拔罐、或刮痧，你尽可选择自己喜欢的方式，如果你气血虚，估计拔罐、刮痧都不适合，还得敲、捏。

5.让痘痘昙花一现——根治痘痘的两大法宝

> 痘痘其实是体内的痰浊，随血液在周身流动，由于头面没有排毒的出口，只好从皮肤里拱出来了，在脸上形成痘痘。
>
> 治痘痘有两件法宝，一要健壮脾胃，消除生痰之源，二要打通经络，给湿毒以出路。

有痘痘的俊男靓女很多。这一点点的瑕疵，给追求完美生活的人们带来了无尽的烦恼。本来长了挺漂亮的一张脸，却由于满脸痘痘而导致自卑心理的人比比皆是。其实，只要认清了痘痘的本质，那么它们就犹如昙花一现，不会伴随我们太久的。

痘痘其实是体内的痰浊。饮食入胃，消化后本来应成为气血，供养全身，可由于脾胃虚弱，进入肠胃的食物没有全部化成气血，而有一部分变成痰湿了。这污浊的痰湿也随血液在周身流动，肝火旺，脾气急的人，痰湿会随火气而上于头面。由于头面没有排毒的出口，只好从皮肤里拱出来了，在脸上形成痘痘。大家通常认为是自己上火了，于是找些祛火的中药来吃，但祛火的药，通常都是寒凉伤脾的。脾胃本来就虚弱，再用寒凉攻伐，岂不是愈加地虚弱了？所以祛痘痘就要先祛痰湿，祛痰湿就要先健脾胃。"脾为生痰之源"，脾胃健则痰湿自消。山药薏米芡实粥，健脾胃，生气血，平和持久；参苓白术丸，化痰涎，祛湿浊，无出其右。

可有些人肝旺脾虚，肝火不祛，则脾虚难补，如有的女士通常月经不调，痛经强烈；有的男士则脾气急躁，夜卧流涎。这时可试用加味逍遥丸，祛肝火又健脾，但虚寒怕冷，不喜饮水的人又大不相宜，可改用逍遥丸，解郁舒肝，又无寒凉之患。其实，若不想吃药，可以

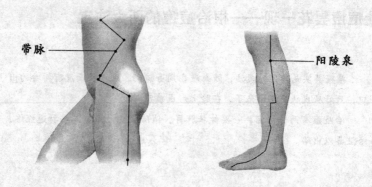

带脉

阳陵泉

祛除痘痘，若不想吃药，可以敲带脉或者推腹，同时揉阳陵泉，肝脾健，痰气消，皮肤自然光洁。

敲带脉或者推腹以舒肝健脾，同时揉"消气穴"阳陵泉以顺气消痰。

前几日，一位二十五岁左右的女士找到我，说自觉胸闷气短，便吃了补中益气丸。我为其把脉，见其心肺脉俱弱，肝脾脉郁结，用补中益气丸以提升中气，并无不妥。但她说，吃完此药，除了每天打嗝增多以外，脸上的痘痘也跟着多起来。她问我是不是上火了？我说，"补中益气丸"增强了气血运行之力，本想把血液中的痰湿赶快运出去，但是排毒的经络堵塞了，只好病走熟路，从原来出痘痘的地方再出了。不过没关系，咱们正好借助药力，给痘痘找个出路。于是我按摩了一下她的肩膀，发现肩膀僵硬，大肠经、小肠经、三焦经都很痛。她告诉我，她月经不调，有些便秘，失眠多梦。我为她刮了一下这3条经从脖子到肩膀的位置，出的痧又紫又多。第三天碰到她时，她脸上的痘痘已经明显小了下去。她说，刮完痧当晚睡得非常香甜，第二天大便也非常通畅，感觉浑身都轻松了。我告诉她，治痘痘有两件法宝，一要健壮脾胃，消除生痰之源，二要打通经络，给湿毒以出路。

■ 感悟《求医不如求己》

拿什么来拯救自己：

　　痘痘其实就是你身体里的毒素超过了排泄的能力，身体只好安排皮肤这个排毒通道加点儿班，也就是把毒素暂时运送到皮肤的某些地方堆积。造成长痘的原因有两个，第一是身体素质整体下降，解毒、排毒器官功能下降，比如肝、肾衰弱，身体的整体垃圾运输能力不堪重负；第二是身体进口控制不严，进入身体的垃圾、毒素太多。

6. 弹指一挥间——抑郁症的通用疗法

> 将双眼轻轻微闭，哼着您喜爱的小调，用您的手指有节奏地敲打着桌面。就这么简单，从此您将远离忧郁，把烦恼恐惧尽数敲散，并且每天都将获得新的能量，源源不断。因为那是身体与心灵的合力，而心灵的力量来源于宇宙，所以永远不会衰竭。

在市场经济的驱动下，社会竞争越来越激烈，人们的生活压力越来越大，从而造成了越来越多的精神抑郁者。这些抑郁者往往由开始的忧愁恐惧，逐渐变得悲观厌世，最后竟麻木不仁，拖着一具毫无灵魂的躯壳晃来晃去。一个人有病，家人和朋友都会受到感染，于是天天求医问药，担惊受怕，总是在压抑惶恐中度过，家里家外再无宁日。

心理的疾病最难排解，不是光靠劝说就可以开释的，更不是仅凭讲道理就可以讲明的。有的病人很有学问，甚至是专家、教授，什么高深的理论都能谈得头头是道。但他仍然像一只惊弓之鸟，焦虑不安，知识似乎并没有给他太多的力量，反而成了捆绑他的绳索，学得越多，禁忌越多，顾虑越多，烦恼越多。有的病人总想哭，总感到心里有什么委屈，但又说不清。还有些病人总想倾吐满腹的苦水，却总找不到可以倾吐的人，好像根本没人能够理解。

前几天，有个朋友带来他七十多岁的老父亲，请我给摸摸脉，说是患支气管扩张好几年了。老人神色沮丧，言语低微，与我说话，一如自言自语，眼睛失神地看着前方，偶尔抬头瞥我一眼，也毫无表情，一副任人摆布的样子。我仔细摸着老人的脉，对他说："老爷子，您的病根并不在支气管上，您是长期心里忧虑恐惧造成的心脏供血不足，没有新鲜的气血供应肺和支气管，给细菌繁殖提供了土壤，所以炎症才久治不愈。"

他听我这么一说，先皱着眉摇了摇头，叹了口气，然后使劲点了点头，说道："去了那么多家医院，消炎药吃了一筐，您今天算是说到点上了。其实，我自己很清楚我的病是啥原因。"他把老伴支到另外一个房间，然后双手捂着脸开始抽泣起来，他的女儿搂着父亲的肩膀，轻声地劝慰着。我说："让老爷子哭吧，他心里有太多的委屈。"我的话音未落，老人家已经是嚎啕大哭了。

原来老人的老伴 6 年前得过一场大病，老人总担心朝夕相伴了四十多年的爱妻会随时离自己而去，因此每天忧虑恐惧，造成了现在这种状态。

老人的情志长期被压抑，难以宣泄，中医讲"气郁生痰，气有余即火"，这个"气"就是郁结的肝胆浊气，这个"火"就是积郁的肝胆之火，肝属木，肺属金，便形成了"木火刑金"。中医讲"诸闷愤郁，皆属于肺"，也是在强调肝胆气郁会使肺气不得宣通。另外，病人肝火虽旺，但肾气不足，外在的表现就是脾气很大，对家人易发怒上火，但是私下里却总是惴惴不安，"如人将捕"。看一下经络图就会发现，肾经的走向正是经过支气管发作的位置，所以按摩肾经的复溜穴、太溪穴就会对支气管的病症有效，也就是"经脉所过，主治所病"之意。

哭了 3 分钟，老人突然止住，对我连连表示歉意，说自己太失态，让我见笑了。我说："没关系，其实大家都是一样的，生活在这个浮躁的社会当中，家家都有一本难念的经。哪个人没有忧愁恐惧呢？只是有的人更善于排解罢了。现在，我教您一个排解郁闷、增强心理力量的小方法。"老人听我话，顿时眼里闪出了光采，急切地说："真有这样的方法？"我说："那当然了，而且还非常简单有趣呢！"

这个方法，我是受爷爷的启发而得。那时我还在上高中，爷爷当

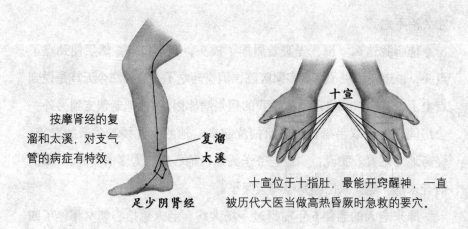

按摩肾经的复溜和太溪，对支气管的病症有特效。

复溜
太溪

足少阴肾经

十宣

十宣位于十指肚，最能开窍醒神，一直被历代大医当做高热昏厥时急救的要穴。

时已经九十多岁了，耳不聋，眼不花，一天到晚总是在哼唱着京剧。记得有一次，我问他："爷爷，您的长寿秘诀是什么？"爷爷呵呵大笑："没什么，就是唱京剧，打拍子。"说完，又闭上眼睛，摇头晃脑地接着唱他的《甘露寺》。爷爷唱的时候，左手摇着芭蕉扇，右手在茶桌上敲着节奏，"啪啪"地发出动听的脆响声。他那灵活有力却没有一点老年斑的手指，至今让我记忆犹新。在我的脑海里，一直有这样一个印象，有这样不停打节奏的手指，就永远不会衰老，永远不会忧愁。

我要告诉这位老人的就是这种有节奏敲手指的方法。老人可以在桌子上、椅背上、墙壁上、大腿上，有节奏地敲，或和着小曲，或哼着京剧，或念着诗词，或打着鼓点，总之是自得其乐，最好是闭目摇头，敲得浑然忘我才好。十指肚皆是穴位，叫十宣，最能开窍醒神，一直被历代大医当做高热昏厥时急救的要穴。十指的指甲旁各有井穴，《灵枢》上说："病在脏者，取之井。"古人以失神昏聩为"病在脏"，所以刺激井穴最能调节情志，怡神健脑。《难经》上说："井主心下满。"所谓"心下满"简单地说就是"心里堵闷不痛快"，这也是抑郁病的主要症状。另外抑郁病还表现在整日疲劳不堪，不但四肢无力，连心里也觉得虚弱无力，吃饭走路都没精打采，甚至不知道哪里还能使出力气来。俗语道：十指连心。您只要闭上眼睛，轻轻地在桌上一敲，手指的微痛，立刻就会让您重新找回"心力"，这是人体中最宝贵灼力量。

生活中处处是被人忽略的、微不足道的小事，但有时正是这一点点的改变，就会让您从此脱胎换骨。那点燃引线的虽然是星花小火，但引爆的炸药却将烈焰冲天。将双眼轻轻微闭，哼着您喜爱的小调，用您的手指有节奏地敲打着桌面。就这么简单，从此您将远离忧郁，把烦恼恐惧尽数敲散，并且每天都将获得新的能量，源源不断。因为那是身体与心灵的合力，而心灵的力量来源于宇宙，所以永远不会衰竭。

■ 感悟《求医不如求己》

营养MM：

好文章啊，十宣穴是经外奇穴，不但可以健脑怡神，还有很多意想不到的功效呢！

（1）对心肾不交型失眠非常有效，具体办法是睡前剪十个小方块的伤膏（活血通络膏）贴在十个指头，哈哈，一会儿你就呼呼大睡了。

（2）可用于中风、脑溢血的急救，具体方法：在病人出现中风症状时，拿注射针头去扎十个手指头，每个手指头挤出黄豆大的血，可立即缓解，免于中风（此法可减轻大脑的压力）。

十宣穴位于四肢末端，为三阴三阳之经气贯通交会之所，又位于手足十二经"井穴"之旁，十二经起始之处。故针刺十宣穴出血，可泄诸经之邪热，从而使脏腑蕴积之邪热得以宣泄，通经开窍，调和脏腑。另外足太阳膀胱经与手太阳小肠经相连，手太阳小肠经与手少阴心经相表里，故在治疗热淋时，重按心经和小肠经，并增加小指和食指出血量，以增加疗效。十宣穴针刺出血治疗法，简便易行，取效迅速，不失为一种好的方法。

7.一招天河水，拳拳舐犊情——小儿发热的通治之穴

> 推天河水，既可泻肝经之火，又可补脾经之血，肝火得泻，心里自然清凉，脾经得补，胃口必会大开。
>
> 记得儿子小时候发烧不退，但不让我给他推，我就只能在夜里趁他睡熟的时候，为他推，那时才理解了"不养儿不知父母恩"。

在我的博客留言中，询问儿科调养的不少，家长都是心急如焚。我自己也有小孩，自然能体会父母们的舐犊之情。记得儿子一岁的时候，有一次发烧感冒，夜里无法入睡，孩子每一声剧烈的咳嗽，都会扯痛我的心。看着他胀红的小脸，急得我团团转，我所擅长的这些疗疾招数，用在孩子身上却疗效不佳。情急之中猛然想起一招"推天河水"，忘了曾经是在哪本书中看到的，看书时就觉得此法甚妙，但从未实践过，当晚在儿子身上一用，果然灵验，很快便烧退神安，咳嗽也大为减轻。古代医家对幼儿疾病总结得最为精道，"小儿之患，非肝即脾"。我儿子的体质就属于肝旺脾虚型，这样的孩子有一个显著的特点就是睡觉少，即使哈欠连天，也不愿去睡觉。此外这种体质的孩子通常夜里爱出汗，脾气较大，胃口不好，爱挑食，体瘦面黄，个子窜得快，但牙齿却长得很慢。

推天河水，为什么会功效卓著呢？让我们来看看天河水的位置，是从劳宫穴一直到曲泽穴，这正好是心包经的位置，逆推心包经，既可泻肝经之火，又可补脾经之血，肝火得泻，心里自然清凉，脾经得补，胃口必会大开。所以对于那些夜里手脚心发热，汗出烧不退，烦躁难眠，夜咳不止等热性病症，最为有效。但若是畏冷怕风，神倦易困的虚寒性体质，则万不可用。

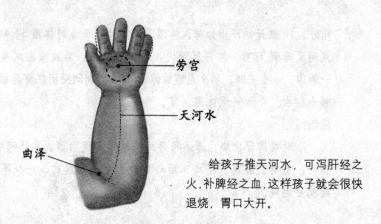

劳宫

天河水

曲泽

给孩子推天河水，可泻肝经之火，补脾经之血，这样孩子就会很快退烧，胃口大开。

推"天河水"方法简单：家长用拇指，从孩子左手心沿小臂中线一直推到肘窝的曲泽穴为一次。每次要推至少 300 次。推时要在孩子小臂上抹些润滑油（擦手油），防止擦伤皮肤。睡前给孩子推一推，效果最好。记得儿子小时候发烧不退，但不让我给他推，我就在夜里他睡熟的时候，为他推，那时才理解了"不养儿不知父母恩"。

感悟《求医不如求己》

bradeol：

　　这个心包经是不是左右手都有啊？

木兰心语：

　　心包经左右两边都有，但由于心脏在人体中靠左，通常我们多揉左边的心包经更为有效。

海星：

　　昨晚 10 点发现小儿感冒发烧 38.5℃，无涕，喉咙微红微痛。在大椎、肺俞、曲池穴拔罐，背部轻刮痧，左耳尖放血 4 滴，推天河水左右 100 次，推六腑左右 300 次，清心火。一推天河水即微微出汗。12点开始汗出如珠,体温下降,凌晨2点时体温37.4℃,3点时又升到38℃,按压风池穴,左风池痛极,后在左右风池各拔一紫印。一夜安睡,早9点醒后体温37℃。期间没用任何药物,只喝一些水。今天一天体温正常。

爱妈妈:

小时候感冒发烧,母亲每每用手沾了高度白酒,去摩擦手心、脚心、肘窝、腿窝、前心、后心等处,也蛮管用的,至少不用吃药就会退烧。

第四章

～ 开启《黄帝内经》的法宝 ～

　　《黄帝内经·灵枢经脉篇》 中的补肾法，原文是这样一句："缓带披发，大杖重履而步。"也就是要您宽松腰带，披头散发，拄着大拐杖，穿着沉重的鞋子而散步。这不就是"坠足功"吗？类似这样的健身法宝，《黄帝内经》 当中俯首皆是，进了黄金屋，您可一定要多加留意，钻石都硌了脚心，却又被我们一脚踢开，岂不太可惜了。

1.《黄帝内经》 里面的钻石之旅

> 《黄帝内经·灵枢经脉篇》 中的补肾法，原文是这样一句："缓带披
> 发，大杖重履而步。"也就是要您宽松腰带，披头散发，拄着大拐杖，穿
> 着沉重的鞋子而散步。这不就是"坠足功"吗？类似这样的健身法宝，《黄
> 帝内经》 当中俯首皆是，进了黄金屋，您可一定要多加留意，钻石都硌了
> 脚心，却又被我们一脚踢开，岂不太可惜了。

　　最近有网友批判我，说我提供给大家健康养生的小功法，纯属"臆
想杜撰，无据无实，于中医理论无可考证"。我读罢哑然失笑，刚好提
醒我写一篇关于古法今用的文章，使更多的朋友在阅读古代医书的时
候，能够有一些全新的感悟，今天就以"取嚏法"和"坠足功"为例，
探究一下《黄帝内经》中我们可以拿来一用的好东西。

　　先说"取嚏法"，我书中告诉大家可用手纸搓成细捻或把吸管铰
成细丝，捅鼻孔取嚏，以防感冒和鼻炎，此法取自 《黄帝内经·灵枢
杂病篇》，原话是这样说的："哕，以草刺鼻，嚏，嚏而已。"这是说打
嗝不止，可用草来刺激鼻孔，一打喷嚏，打嗝就止住了。但是，现在
打嗝不止的人毕竟不多，而经常感冒的却大有人在，借此古法来派上
新用，不亦乐乎？《内经》上说："诸气愤郁，皆属于肺。"打喷嚏，打
到微汗最佳，可以宣通肺气，调畅气机，既解肝郁，散心火（汗为心
之液，心火随汗而解），又御风寒（寒亦随汗而出）。"取嚏法"岂止可
治打嗝、感冒，还有很多功效等着您去摸索呢！

　　再说"坠足功"，我书中是这样说的："首先，你要显出疲惫的表
情，显出慵懒的神态，像是半梦半醒，没精打采，饿了一天没吃饭，
腿上还绑着大沙袋……然后我们开始'跑步'。" （参见《求医不如求

己》P159）这一段其实完全是《黄帝内经·灵枢经脉篇》中的补肾法，原文是这样一句："缓带披发，大杖重履而步。"也就是要您宽松腰带，披头散发，拄着大拐杖，穿着沉重的鞋子而散步。这不就是"坠足功"吗？

看古书一定要身临其境，感同身受，这样才有意趣。不然您看到的是难字，想到的是生词，记住的是古语，总觉得与现在的您毫不相干，百无一用，那谁会读得进去呢？

类似这样的健身法宝，《黄帝内经》当中俯首皆是。进了黄金屋，您可一定要多加留意，钻石都硌了脚心，却又被我们一脚踢开，岂不太可惜了。

■ 感悟《求医不如求己》

hadhad1：

孔子谓子贡曰："女与回也（颜回）孰愈？"对曰："赐（子贡）也何敢望（颜）回？回也闻一以知十，赐也闻一以知二。"非通达之士，孰能与古圣先贤会心而笑，促膝而谈，虽相隔千年，亦如秉烛夜游，曲水流觞！若夫乘天地之正，而御六气之辩，独与天地精神相往来，以游无穷者，以其知天心，故能通人心也！

2. 破解穴位的不传之秘

> 怎么知道一个穴位有神奇的功效？其实，古人在穴位的名称中早已标明了它的地位和用途，那穴名可不是随便起的，里面大有学问，有很多东西可挖呢！那里蕴藏着祖先们的智慧与厚爱，我们怎可不心怀感恩呢！

几位朋友已起吃饭，谈起了我新写的博客文章《〈黄帝内经〉里面的钻石之旅》。一位朋友神秘地对我说："中里，你可知'激人得秘法，抬扛长学问'？我看那个批判你'杜撰功法'的人，不过是想激你告诉他功法的秘密，故意这么说的。"我说："这样最好，他得到了他想要的，我写出了我想写的，互利双赢。况且这些功法，书上写得清清楚楚，哪是什么秘法，只是大家看书，太过粗心，好东西就这样当面错过了。"另一位朋友问："中里，俗语说'道不轻传'，这经络穴位中想必也有许多不传之秘吧？"

说实话，秘法我这没有，如果有的话，也只能算做一些学习经络知识的心得和思路，就拿出来和大家随便聊聊吧。拿肝经来说，我一直推崇太冲，并把它叫做"消气穴"，它散肝火，补心血，安心神，利水道，功能极为强大。有人说，看古书中对每个穴位的解释，用词都差不多嘛，并没有额外强调谁更加重要，你是怎么知道这个穴位有神奇的功效？其实，古人在许多穴位的名称中早已标明了它的地位和用途，那穴名可不是随便起的，里面大有学问，有很多东西可挖呢！

比如太冲穴，太，盛大的意思；冲，重要的通道。那么人体"盛大"而"重要"的通道在什么地方呢？那一定是在气血聚集流动最多的地方。那就是肝脏和心脏相通的地方。肝是血库，心是血泵，心血不足，非心脏本身造成，而是肝脏供血不足。因何供血不足？因为两脏之间的通路瘀阻。因何瘀阻？源于肝气不舒，气滞则血瘀。"冲"字还有用水灌注的意思，更加形象地告诉我们，刺激太冲穴就会把肝的血液灌注到心脏中去，但一定要朝"行间"的方向去揉。行间是肝经的"火穴"，肝脏属木，心脏属火，正是"木生火"之意。

再说个肝经的蠡沟穴，此穴在内踝尖上5寸。"蠡"的本意是指小瓢虫在咬木头，所以我们看到上面是"橡"字的右半边，底下有两只小虫在往上爬。"沟"，指细长的水道，在这里暗指妇女的阴道。古人对于"私处:常用这种暗语来表达。所以这个"蠡沟"在中医院的针灸科一贯是用于治疗阴道瘙痒的要穴。当然，阴道瘙痒的内因是源于肝胆湿热，最好再加上祛湿要穴"曲泉"与"阴陵泉"，平日再喝些绿豆薏米粥，以解肝毒，除湿热，才是治本之道。

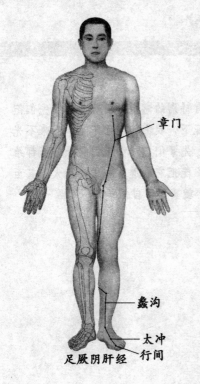

太冲穴散肝火，补心血，安心神，利水道，刺激时一定要朝行间的方向去揉。蠡沟穴，曲泉与阴陵泉是治疗阴道瘙痒的要穴。章门会聚五脏的精气，可常按揉。按摩大钟治咽喉肿痛。

章门

蠡沟

太冲
行间

足厥阴肝经

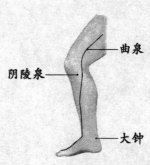

曲泉

阴陵泉

大钟

　　肝经还有个要穴叫章门，位于肋骨下缘。"章"的意思是"贵重的材料"，什么是人体中贵重的材料呢？那当然是五脏了，章门是五脏的"会穴"。"会"是指五脏的"精气"都在此穴会聚。刺激这一个穴，等于把五脏功能都调节了，所以，我们敲带脉减肥的时候，别忘了顺手把这个大穴也敲一敲，此穴还是脾经的"募穴"（募是聚集的意思）。此穴清肝火而补脾，好处多多，大家慢慢去体会吧。

　　有个朋友发烧后音哑失声，我直接给她点按肾经的大钟穴。她疼得大叫："好痛呀！"我说："你看，出声了吧。"我们相视哈哈大笑。大钟为什么会这么有效呢？除了要记住它是肾经的络穴，肾经通于咽喉，所以治咽喉肿痛；更不要忘了它的名字叫"大钟"，钟不敲不鸣。这些神奇的穴位名字中蕴藏着祖先们的智慧与厚爱，我们怎可不心怀感恩呢？

■ **感悟《求医不如求己》**

贡嘎山：

　　平时看穴位的名字，都没有特别的感觉，没有想到祖先们把它们的功效都放在我们的眼皮底下，我们却视而不见，看来不光要学，更重要的是要去感悟啊。先辈们把这么多的灵丹妙药都给了我们，如果我们这些后辈们不能把它们继承和发扬光大，甚至一些人居然要把中医废除掉，那就真是"自作孽，不可活"了！

3. 离穴不离经——轻轻松松找穴位

> 古代的医家都提倡"离穴不离经"，就是说穴位可以找不准，但经络找对就行了。按不准穴的，就用敲打落，一敲打，就把那个宝贝穴位从身体深层敲出来了。因为通常穴位要比其他的地方敏感许多。
>
> 古时的藏宝图，都是手绘的，肯定没有现在的经络图清楚，宝物也照样会被挖走。穴位都是我们身上的宝物，仔细找一找，不会太难发现的。

很多朋友对我书中的理念很是认同，又听我说得"有鼻子有眼"，甚至有些神乎其神，于是对经络穴位产生了强烈的好奇，摩拳擦掌，准备一试。可刚一出手，就遇到了难题：穴位找不准呀!本来踌躇满志的情怀，一下子变得迟疑不定：如果穴位找不准，揉错了地方，会不会产生副作用呢? 于是有的人开始查查书，看看图，或者问问专家；有的人干脆就心生狐疑，弃之不用。可是就算查书、看图、问专家得到的结果，也经常是不清楚、不准确和没空回复，于是学习的热情转瞬即逝，刚买来的书本束之高阁，一项美好的计划，就这样掉进了"死穴"。

找穴难确实是很多朋友面临的共同问题，穴位在经络图上密密麻麻，就像是夜晚的星星，似乎是很难找准。其实，每个穴位都有自己的路径和轨道，那就是十二条经络的位置。您只需找到与自己有关的那条经络就行了。

其实，在学习经络的过程中，找穴可以说是最不重要的一环。有人一听，马上就会对我翻白眼，认为我说的也太不严谨，太不科学了。有人说，穴位找不准，就如同没有靶子乱放枪一样，你说不重要也太不负责任了吧。不错，穴位是什么? 是路标，是参照物。很多人专找路标，却不看路，连要去哪里都不知道，您找到路标又有什么用呢？比如说，胃痛时应该按摩胃经的足三里，书上说足三里在"膝眼"下三寸。膝眼是什么？就是膝盖的眼睛嘛！在膝盖骨下凹陷处。三寸到底有多长？这里的寸也叫同身寸，三寸是自己四指并拢的距离，那就在膝眼下7~8厘米胃经的那条线上去找，上按一下，下按一下，上上下下，左左右右，循胃经去找最敏感的点就是了。如果您此时正在胃痛，最敏感的那个点就是您自己的足三里。按对了，它会回应您的。那个点会持续地疼痛或酸胀一会儿，与按其他地方的感觉迥然不同。您自己亲自找到一个穴，其他的就顺藤摸瓜，举手可得了。

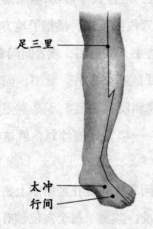

胃经的足三里，在膝眼下三寸的地方，刺激时可用指节点揉。刺激太冲穴，一定要用手指掐进足大趾与二趾的凹陷中，以这种深度从太冲揉到行间，才会真正起效。

有人说，你熟练了，当然闭着眼睛都能找到，我们初学者却怎么也找不准。让您说中了，要熟练，就要多按多找，要有探宝的兴趣和细心才行。另外，闭着眼睛去找穴位的感觉，也是非常好的方法。您要记住，准与不准，没有死标准，每个人的身长不同、胖瘦不同、气血强弱不同、按压的力度不同，找不准很正常。穴位都在较为深层的位置，有些人把皮肤都揉破了，也不见得真揉到那个穴位了。比如，最重要的太冲穴，位置很好找，但很多人却没有揉到。这个穴一定要用手指掐进足大趾与二趾的凹陷中，才会真正起效，所以要把指甲铰平，不然脚肯定要被掐破的。以这种深度从太冲揉到行间，效果才真正显出来呢!还有像足三里这样在肌肉深层的穴，就要用指节来点揉。若用拇指肚轻轻地揉，像抚摸一样，根本就没把电路接通，经络自然也不会传导疗效。

上了年纪或体虚无力的人，找起穴位来，的确不易，那也不用着急，您只要找对经络就可以了。古代的医家都提倡"离穴不离经"，就是说穴位可以找不准，但经络找对就行了。按不准穴的，就用敲打法，一敲打，就把那个宝贝穴位从身体深层敲出来了。因为通常穴位要比其他的地方敏感许多。拔罐的朋友就更不用担心穴位的准确与否了，一个罐常常会覆盖两三个穴，这时，您要自己体会一下，拔在哪个位置最有感觉，就拔那个穴，那才是您所需要的。

古时的藏宝图，都是手绘的，肯定没有现在的经络图清楚，宝物也照样会被挖走。穴位都是我们身上的宝物，仔细找一找，不会太难发现的。

■ 感悟《求医不如求己》

CORONA：

重复读《求医不如求己》的时候，发现很多以前不理解的、记不住的，开始有些记忆了。我觉得刚开始找穴位的时候可以把身上都摸摸，哪儿痛就捏哪儿，记不住穴位名称都不要紧。觉得这懒办法也好用的。还有就是对照针灸小人，把痛的位置找个大概，然后按照相应比例放大，在自己身上找，也就差不多了。

崔梓：

我按左腿的足三里很疼，右腿的却不疼，这是为何呢？力度都一样的啊！

夜晚的彩虹：

这又不是天平，没必要都疼，有问题才疼。而且经络多是半边半边调整的，一边在调整，一边休息。不必追求疼，有问题的话，穴位自己会告诉你。

Topofsummer：

我觉得不管什么方法，都是为了疏通阻塞的地方。平常学一些经络方面的知识，没事的时候，在全身的各个部位经常揉揉按按，觉得有痛点，就耐心地把它揉散，就不会有什么大病了。有毛病的时候，查看一下相关的经络，找到痛点，按摩到不痛就行了。像我最近事务繁多，舌上生疮的老毛病又犯了，以前没有好办法，只有耐心地等它们消失，什么冰硼散之类的药都没有用。现在根据从郑老师的博客上学到的知识，知道"舌乃心之苗"，就在心包经、心经、小肠经这些与心脏相关的经络部分慢慢寻找，果然在左臂心经的"少海"发现痛点，一按下去，马上就知道了什么叫"痛彻心肺"，慢慢按摩，痛得不重了，舌上的口疮也奇迹般地消退了，并且折磨自己多年的左臂酸胀的感觉也轻了很多，再接再厉，慢慢地向下寻找，发现痛点又转移到"通里"了，现在我每天想起来就按摩这两个穴位，按摩一次，左臂酸胀的现象就好转一下，虽然没有根治，但我觉得只要坚持下去，这个困扰我十几年的慢性病会好起来的。

Jnc：

若能加上揉揉肝经在腿到脚上痛的地方，外加三焦经在手背上痛的地方，效果可能会更好。"舌为心之苗"这话没错，可心火多数是由肝胆之火引发，治疗莫忘源头，若再能按摩一下肾经，补一下肾阴更好。

4. 驻颜有奇术，养肾存大道——每人都要读点《黄帝内经》

> 读书嘛，大致有两种，一种可用来陶冶精神，一种则是专为应用而读。若为应用而读，那么读的东西应该是可用的，若无处可用，就不用再耗费短暂的人生了。比如在非洲生活，就没必要去学习游泳的技法。学习中医，还是找您的兴趣所在，这才是入门之径。

昨天去一位朋友家做客，看到他太太正在专心致志地研读《黄帝内经·素问》，书中画满了红蓝线条，颇感惊异。因为他太太是有名的"股迷"，现在正是"牛年"，怎么有心情研究中医了？

我是他家的常客，刚一进屋，他太太便招呼我过去，说："小郑来得正好，快给大姐讲讲这一段，我看了半天也没看明白，郁闷一下午了。"我走过去一看，她读的正是《阴阳别论篇第七》，这是难度很高的"脉学篇"。若给她说明白，用3天估计差不多。我对她笑笑说："大姐你太厉害了，总是知难而上，这个太深，我也不懂。"她用眼睛斜瞥我了一眼，嗔怪道："跟大姐摆架子是不是？"

我坐在她对面的沙发上，转移了话题，问道："您学这些经典是想要做什么呢？""我想看看有没有防止衰老的秘方，你看大姐还不到50岁，就开始掉头发了，多吓人呀，再过几年还不都掉光了。"其实，她一点不显老，也就像40岁的光景，但女士们总是"精益求精"。"您看了这些天，找到驻颜秘方了吗？"我打趣道。她懊恼地说："还没找到，很多地方看不懂，有点学不下去了。"我说："若只是想学驻颜术，第一篇就有，而且说得很详细呢！"

她迷惑地说："我怎么没看到呢？"

于是我让她翻到第一篇《上古天真论》，指给她这两句话："……五七，阳明脉衰，面始憔，发始堕。"什么意思呢？我为她解释说，女子过了35岁以后，大肠经和胃经的气血就逐渐不足，由于这两条经都上行于头面发际，一旦经气衰退，面色就开始憔悴，头发就开始脱落。所以要想面色红润，头发浓密，胃肠的气血就需充盛才行。我说："这下您知道我为什么建议您常吃山药薏米芡实粥了吧，因为这粥最长肠胃气血。记得我曾写过一篇《预防衰老的秘方》（参见《求医不如求己》P64~P68），提倡大家多敲胃经和大肠经，以养颜防老，就是'抄袭'《黄帝内经》的这一篇。"

听我这么一讲，大姐来了兴趣，说："我来解释这下一句，你看看，我说得对不对，'六七，三阳脉衰于上，面皆憔，发始白。'是说人过了42岁，3条胳膊上阳经（也就是大肠经、小肠经、三焦经）和腿上的3条阳经（也就是胃经、膀胱经、胆经）的气血都将逐渐衰弱，而这6条经脉又都上达于头面，所以人就会变成了"黄脸婆"，头发也白了，所以我们要经常敲胆经，按摩三焦经，以防衰老……"

我连忙鼓掌，说："您讲得太好了，这么学就对了。"她先生李哥听我们说得这么热闹，也连忙从厨房跑了出来，边用围裙擦着油手，边好奇地问："那书中有没有讲怎么补肾的，我最近吃了不少补肾的药，也不管用。"我知道李哥指的是"性功能"的问题，这也是许多过了40岁的男性朋友即将面临的问题。但这是一个综合体质和心理的问题，并不是一两副药就能根本解决的，也不是一句话说得清的。李哥又催问了一句："有这方面的论述吗？"我胸有成竹地说："当然有了，这第一篇就讲得很清楚。"我于是指给夫妻俩看这一句："肾者主水，受五脏六腑之精而藏之，故五藏盛乃能泻。"这句话是说：五脏六腑各有精，非肾一脏独有精，随用而灌注于肾，所以肾虚光补肾是不行的，要根据不同虚损的情况而分补五脏才能有效。简单地说：肾气虚则补肺，肾阳虚则补肝，肾无火则补心，肾无血则补脾，肾阴不足直补肾。当然这只是个思路，并不是公式。气不足则不振奋，阳不足则不刚硬，火不足则神不定，血不足则难持久，阴不足则筋易伤。

听我这么一讲，李哥马上捧过此书，肃然起敬，啧啧赞叹，说："我也要好好读读《黄帝内经》。"

读书嘛，大致有两种，一种可用来陶冶精神，一种则是专为应用而读。若为应用而读，那么读的东西应该是可用的，若无处可用，就不用再耗费短暂的人生了。比如在非洲生活，就没必要去学习游泳的技法。学习中医，还是找您的兴趣所在，这才是入门之径。

5. 为自己把脉——观赏五脏的精灵之舞

把您自己左右手腕表示的 6 种脉（心、肝、肾、肺、脾、命门）当做您的 6 个最亲近、但禀性不同的孩子来照看，摸脉的时候就像是在抚摸孩子的头顶，要有关爱而细腻的感情在其中，仔细感觉她们的跳动，也就是她们的语言，一旦您感到了她们细微的变化，再看李时珍的《濒湖脉学》，便可一目了然。逐步实践，自会日有新得。

很多朋友想向我学习诊脉，觉得这种方法非常奇妙，居然能够用3 个手指探明身体五脏的情况，甚至有些疾病在身体上还没有任何征兆，但是在脉象上已经显示得很严重了。诊脉真有如此神奇吗？

回答是肯定的，但是要学会诊脉也并非易事，因为您要学会用"心"去看脏腑才行。诊脉的时候，最好闭上眼睛，手搭在左手的寸、关、尺上，可以检查心、肝、肾的情况，搭在右手则反映肺、脾、命门的情况。

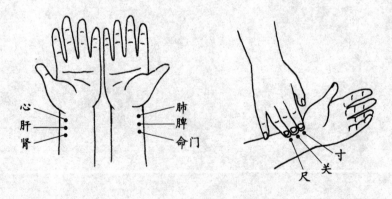

古老而奇妙的诊脉法，能够用 3 个手指清楚探明身体五脏的情况。

一次朋友聚会，有个朋友执意要我教大家诊脉。我请大家安静，最好是鸦雀无声，因为诊脉一定要有一个安静的环境；然后让大家用右手的的食指、中指、无名指上的三个手指肚，放在左手的寸、关、尺上。我说：大家现在摸脉一分钟，然后告诉我各自的感觉。有人说，摸不准，忽有忽无；有人说，脉跳得很有劲儿；有人说，脉跳得很快；最后一个女士的话，大概道出了所有人的感觉。她说：摸不出什么特别的，只是感觉脉在跳：一下，二下，三下……

其实，您若用心去体会，三个指肚下的感觉是有不同的，有的有力，有的无力，有的粗大，有的细小，有的滑利，有的滞涩，有的紧硬得像琴弦，有的松软得像丝线。而古人类比得最为形象，比如说滑脉（一种表示体内有痰湿的脉）被喻为"如盘走珠"；涩脉（一种表示体内有瘀血的脉）像"轻刀刮竹"、"如雨沾沙"；浮脉（一种表示气血向外发散的脉）古人说得最细："如水中漂木，举之有余，按之不足"，摸这个脉的时候，感觉就像是用手按着水中一块漂浮的木头，轻轻按，会觉得这木头的浮力很大，可一用力，木头就沉到水里，反而觉得没什么力量了。

所以，学习诊脉要有一种身临其境的感觉才行，您需一会儿去摇一摇盘里的珠子，一会儿去拿小刀刮刮竹子（能想象就好，没必要真的去刮那可怜的竹子），一会儿再去河边用手压一压水中的漂木，只有在心里有了这些真切的体会，才能感觉出脉象那细微的变化。

古语说"心中易了，指下难明"，是说这些感觉您已经有了，可到了用手指去摸脉，又糊涂了，那怎么办呢？难道脉学我们就学不会了？非要得遇名师亲授才能窥其门径吗？也不尽然，告诉您一个方法，您若能突破这一关，就可以摸脉入门了，想登堂入室，只是时间的问题。这个方法就是把您自己左右手腕表示的6种脉（心、肝、肾、肺、脾、命门）当做您的 6 个最亲近，但禀性不同的孩子来照看，摸脉的时候就像是在抚摸孩子的头顶，要有关爱而细腻的感情在其中，仔细感觉她们的跳动，也就是她们的语言，一旦您感到了她们细微的变化，再看李时珍的《濒湖脉学》，便可一目了然，逐步实践，自会日有新得。不然就算是穷经皓首，把 58 种脉象背得烂熟，也是蜡做的大炮——摆设罢了。

有人说，关于脉学你只说了这么一点点，让我们如何能够学会呢？其实我早就想告诉您，这种心法上的东西，本来就不是语言所能表达清楚的，会者心会，无需多言，不会的话，就暂时放在一边，可能还有别的机缘，或别的方法更适合您。每个人都有自己的缘分，不是您的，我给您，您也看不到，拿不走。

感悟《求医不如求己》

hadhad1：

　　佛家云：向上一路，千圣不传，故有释迦拈花，迦叶微笑的典故。我想生命的真谛是无法传授的，只能自己去体悟吧。一念不生全体现，六根才动被云遮，无为方能无不为。老师已将心法奉上，我等观者惟有悉心领会，徐而察之，才不算是辜负。

从容淡定：

　　读巴人君的书，觉得巴人君很像金庸小说中的大侠，对中医的那份融会贯通让人佩服，在没有任何药物、工具（针、罐）可以借助的情况下，可以随时凭周围能取用的工具——汤勺、木板甚至树叶，将之啸成剑气，直毁病灶，病人顿觉神清气爽，真是佩服得紧。

第五章

让身心一天比一天强壮

　　我们总是关注疾病，而不关注健康，要知道，如果您的体质增长一分，疾病就减弱二分。既然我们无法驱散寒冷，那就去寻找阳光吧。疾病是要靠"内力"赶走的，而"内力"是我们每个人所固有的，但要我们去寻找，去培养，去激发，因为它就是我们心中的"太阳"。

　　我们完全可以在 50 岁时仍然没有鱼尾纹，可以终生都没有老年斑。眼袋和黑眼圈也不是自然衰老的必然产物。

1. 长生从养"筋"开始

> 只要常常调节我们脚下的"地筋",我们的力量就会源源而发。到过上海杨浦大桥的人,都会惊叹于它的宏伟壮观。但是您发现了吗,是谁在支撑着它?承载着它的巨大负荷的,是那些粗壮有力的铁索,也就是这座桥的"筋"。我们要打造的,也正是这样的铁骨"铜筋"。

每个人都渴望健康,渴望能够快乐地生活。可是现代生活的快节奏使太多的人心中充满躁动和不安,似乎一时一刻的舒适都成了奢望。肝病的恐怖,前列腺的困扰,还有强直性脊柱炎、腰脊间盘突出、失眠症、脑血管疾病、帕金森、性功障碍以及小儿多动症等很多疾病,看似毫无关联,其实问题都出在一个地方——"筋"。

《黄帝内经》上说:"肝主筋。"筋是什么呢?筋就是人身体上的韧带、肌腱部分。很多病症,说不清原因,但都可以遵循一个原则,那就是从筋论治。人的身体里有一些总开关,治病养生都是在这些地方用力,所谓的"不传之秘"也尽在于此。曾经说过的"消气穴"太冲、"疏筋穴"阳陵泉、"强胃穴"足三里、"健脾穴"公孙、"腰痛穴"飞扬、"补血穴"劳宫、"补肾穴"太溪等,都是能独当一面的人身之大穴。但这些穴位书中已尽有记载,也算不得什么秘密。今天,我要告诉大家的是一个书中很难找到的,但却是对以上诸症皆有疗效的养生之法——揉"地筋"。

道宗秘诀中有这样一句话:"天筋藏于目,地筋隐于足。"藏于目的天筋,一般人难于下手去锻炼;隐于足的地筋,我们却可以把它找出来,为我们所用。那怎么找呢?将脚底面向自己,把足趾向上翻起,就会发现一条硬筋会从脚底浮现出来。按摩这条硬筋,把它揉软,会有神奇的功效。通常脾气越暴的人，这根筋就越硬，用拇指按一下，就像琴弦一样。凡是有肝病的人，这条筋是必按之处。您可能会问，这条"硬筋"在脚底，并不循着任何一条经啊？稍微仔细些就会发现，其实这根筋是循行在肝经上，只是肝经一般都标注在脚背而不是脚底。肝的问题是人体的一个核心问题，肝的功能加强了，人体的解毒功能、消化功能、造血功能就会显著提高。但肝却是最难调理的脏腑，药物难以起效，针灸似乎也鞭长莫及，古人的一句"肝主筋"，却道破了我们通往肝经的捷径——通过调理"筋"就可以修复肝，所以说"书是黄金屋"一点也不过分，岐黄经典，真是字字珠玑，随便摘下一句都是"零金碎玉"，我们真是需要睁大眼睛才行。

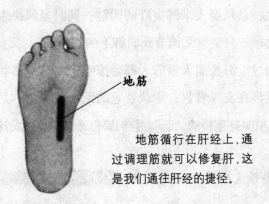

地筋

地筋循行在肝经上，通过调理筋就可以修复肝，这是我们通往肝经的捷径。

　　这根筋虽然用途极广，但有些人却找不到它，揉这地方的时候反而会感觉这根筋软弱无力，塌陷不起，这样的人通常肝气不足，血不下行，反而需要把这根筋揉出来才好；还有的人虽然这根筋很粗大，揉起来却毫无感觉，也不坚韧，像是一根麻绳，五十岁以上的男士较为常见，这样的人通常年轻时脾气暴躁，肝功能较强，但由于酗酒、房劳、忧虑等诸般原因，现已肝气衰弱，更需要常揉此筋。

关于"筋"，我再提供些其他的知识，您可参照着自己的具体情况来调理。膝为"筋之府"（所以要经常跪着走以养筋），胆经的阳陵泉为"筋之会"（所以要常拨动以舒筋），脊椎督脉上有个"筋缩"（所以要多用掌根揉它以伸筋），膀胱经的膝腘下有个"承筋"（所以要多用拳峰点按以散筋），请记住，理筋即是调肝。而凡和"摇动""震颤""拘挛""强直""抽搐""火气""眩晕""抑郁"等有关的病症，都与肝经有关。

前些天写过一篇《虎虎生风——决定男子性能力的是肝肾两经》，告诉大家将大腿尽量劈开以增强肝肾功能，其实不过是要拉伸腿上的大筋。男性生殖器名为"宗筋"，即是诸筋汇聚之意，所以改善"筋"的供血，是从源头来解决肝的问题，同时也解决生殖的问题，方法也极为简单。只要常常调节我们脚下的"地筋"，我们的力量就会源源而发。到过上海杨浦大桥的人都会惊叹于它的宏伟壮观。但是您发现了吗，是谁在支撑着它？承载着它的巨大负荷的，是那些粗壮有力的铁索，那就是这座桥的"筋"。我们要打造的，也正是这样的铁骨"铜筋"。

感悟《求医不如求己》

Daiyai：

　　我怎么找不到这条筋呢？这条筋是横着还是竖着？请知道的朋友给予指点，不胜感激！

老船长：

　　你把脚底朝着自己，把大脚趾往后拉，一条大筋很明显就出来了，连着大脚趾和后脚跟，也就是沿着脚面肝经的线路！

新西兰：

中里老师谈到的"地筋"，我曾经做"抽筋"锻炼时练习过。刚开始，我的这根筋确实很硬很痛，练几次就松多了。"抽筋"锻炼是指在放松状态下，有意地改变体位，人为地造成肌肉的痉挛，俗称"抽筋"。其实，"抽筋"是人体的自然调节的方式之一。人体的某些部位在遇到寒冷或疲劳等情况时，相应的筋会自然地收缩，会伴随疼痛，有讨还很剧烈，但过一段时间后（一分钟或更长），疼痛达到最大值以后便会递减，同时筋也会逐渐松弛发热，最终恢复轻松自然的状态。可惜的是，由于对人体这一调节功能的认识不足，人们往往会紧张，从而改变体位，人为地中断这一过程。"抽筋"锻炼的要点是顺其自然，放松，同时做深呼吸。

hadhad1：

含德之厚，比于赤子。骨弱筋柔而握固，把大道理融于简单易行的小小绝活，先生真是大巧若拙，道隐无名。

八卦顶人：

大家真的可以试试看。有些脾气急躁的人，这根大筋会绷得跟琴弦一样，揉起来非常痛，如同针刺。另外，这根筋自己揉起来不太好揉，让他人帮忙又不太容易掌握力度——有时候能痛得让人流泪。建议买个按摩棒，就是带个把手的小轱辘那种，一手扳着脚趾头，一手用小轱辘按压就可以了。经常按，养成习惯，就和按太冲一样，您肯定受益匪浅。

许个心愿：

肝是解毒的。如果长期吃西药的话，一定要坚持每天抻筋，最好的方法就是练习上学时候体育课的必练准备动作——侧压腿，大家不妨试试，尤其经常吃西药的人。

2. 打通督脉和膀胱经——防治众多疑难杂症的万能功法

> 现在大路、小路都摆在了您面前，舟船车马也都等着您上路，若您还在担心：大路有无沟坎，小路有无荆棘，车马会不会脱缰，舟船会不会抛锚。我会告诉您，这一切都可能发生，因为这就是生活。您不借着风向扬帆，不顺着水流起航，还在等什么呢？

我曾经告诉大家，若对自己虚弱的身体无从改善，那就先从打通督脉和膀胱经。言下之意，是想告诉您，不要在那里等待指引，要大胆地走出第一步。方向都告诉您了，路径岂不就在脚下了？这时您会问我，我是走大路，还是走小路；我是坐车去，还是乘船去。我说，您看着办，我喜欢走山路，可您觉得山路危险，那就走大路好了，虽然远了些，也一样可到达终点。有人说，我也想和你一样走捷径，但是你要保证我的安全才行，我说，我保证不了，山路崎岖，我自己也是跌跌撞撞，连滚带爬地一路走来，但我喜欢这种摔打的感觉，不愿经历破茧而出的艰辛，却想享受彩蝶飞舞的荣耀，那怎么可能呢？

自己可以把控的经络按摩，举手投足的健身功法，简单而安全，或许您可能操作不当，最多也就是无效，哪里还需战战兢兢，非要反复得到承诺和保证，才敢浅尝小试呢？这种狐疑不决的心态，软弱无力，意念游离，最后只会落得自艾自怜，怨天尤人，难免要毁了您的一生，所以您一定要把对我的信心，变成对您自己的信心才成。

为什么要从膀胱经和督脉入手呢？因为，这两条经脉可以调动人体肾脏的功能。有人会问，你曾经说过，补益脾胃是改善体质的关键和前提，现在怎么又来强调肾的功能了？难道肾脏的强壮比脾胃更为重要吗？

　　我来告诉大家，脾胃是后天之本，肾是先天之本，"后天"的功能是靠外来的培补来使身体强壮，"先天"则是自然的赐予，是与生俱来的自然潜能。我们可以通过后天的调养来改善体质，但却无法使之变得强大，若想达到天人合一，从自然中汲取源源不断的能量，就一定要打开通往宇宙的先天之门，这就是肾脏的强壮。古时练功修道的一个重要步骤就是"还精补脑"，而这个"精"指的就是肾精，所以要想身体有一个质的升华，而不是停留在"温饱"状态，健壮肾脏就是必修课程，甚至可以说是终极目标。

　　古人说："肾脏有补而无泻。"意思是说肾脏是总会显得亏欠，而不会过于强壮的。打坐时男子意守"丹田"，女子意守"命门"，无非是要增强人体的"元气"。何为元气？就是先天之气。先天之气在哪里呢？就储存在两肾之中，但肾的先天之气，在成年时，已经完成了一般人的生长需要，也就不继续"喷薄"而出，人也就开始"物壮则老"了。为什么说年轻时是"人找病"，而年老时是"病找人"呢？就是因为"元气"的盈亏造成的。但肾脏补起来并不是很容易，原因是五脏六腑如果只维持一般情况的"温饱"，即使没有充沛的"元气"供应，也仍然可以达到自身的满足，身体也就不必费力非要激发肾脏先天的功能了，没有需求就没有创造。

　　膀胱经是人体最大的排毒通道，也是身体抵御外界风寒的重要屏障。若这条经络通畅，外寒难以侵入，内毒及时排出，身体何患之有？所以我们一定要打通膀胱经，所谓"打通"就是让更多的气血流入这条经络。谁给膀胱经供给能量呢，主要是靠肾，肾与膀胱相表里，膀胱经只是个通道，本身无动力运行，需肾气的支持才能完成御寒、排毒的功能，所以您加强了膀胱经的需求，也就激发了肾脏的供应潜能。

　　同理，督脉亦是如此。

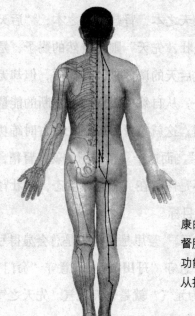

肾脏的强壮是人体健康的有力保障，膀胱经和督脉可以调动人体肾脏的功能，改善身体状况可以从打通它们入手。

足太阳膀胱经

　　督脉是诸阳之会，人体阳气借此宣发，是元气的通道。为什么我们总要说"挺直你的脊梁"？就是因为那里最展现人的精气神，所以，打通督脉，可以祛除许多疾病，国外医界专有整脊医学的分支，治疗效果极为显著，其实就是调整督脉。增强督脉的气血供应，就能激发肾脏的先天之气。

　　那怎么打通膀胱经和督脉呢？其实很简单，方法很多，捏脊法、刮痧法、拔罐法、敲臀法（如果膀胱经不通，敲臀就会很痛）都可以用，还可用掌根从颈椎一直揉到尾骨，肉太厚的话也可用肘采揉。要注意，膀胱经在腿上的部分也很重要，同样可以刮痧、拔罐、点揉、敲打，甚至用手大把攥，只要能充分刺激它就行。还可两腿绷直，俯腰两手摸地，向后仰身弯腰以及仰卧起坐，还有许多瑜伽上的动作，只要能刺激腰椎以及大腿后侧的膀胱经，那就全可采用。

好了，现在大路、小路都摆在了您面前，舟船车马也都等着您上路。若您还在担心：大路有无沟坎，小路有无荆棘，车马会不会脱缰，舟船会不会抛锚。我会告诉您，这一切都可能发生，因为这就是生活，您不借着风向扬帆，不顺着水流起航，还在等什么呢？

■ 感悟《求医不如求己》

暖暖：

据我体会，打通督脉的最简单方便的方法就是暖脊功，这其实是瑜伽的功法，这里借用一下。很简单，就是抱成团，在地上打滚。不是真的滚，而是脊椎受力，以头臀为两头，像小船似的两边摇，很有效的，大家可以试试。另外在地板上做效果才好，在床上，特别是床垫上则没什么效果。

芷若：

我发现了一个挺管用的小功法：平躺，曲膝，双膝轮流向左右倒，左右各算一下，每次大概做个200下。头一天做了，第二天就会感觉腰部很舒服，3天后感觉整个后背都是暖洋洋的。

3. 美丽新生活——四十岁只能算青少年

上睑肿肾虚，下睑肿脾虚。知其成因，我们就可以及早防患。

我们完全可以在50岁仍然没有鱼尾纹，可以终生都没有老年斑。

眼袋和黑眼圈也不是自然衰老的必然产物。

人过中年，年轻时的美丽渐渐如潮归海，黑眼圈、肿眼袋、鱼尾纹、黄褐斑纷至沓来，谁不想留住光彩照人的往昔，留住那惊鸿一瞥的灿烂呢？化妆品的遮盖，未能增加我们的自信，却平添了一份隐忧：当睡前擦去粉妆，岁月的沧桑便一览无遗。

能不能让青春放慢脚步，让我们每天都愿意在镜子前伫足凝望呢？恼人的黑眼圈和眼袋，是怎么出现的？如何消除它们呢？要知道，眼睛是气血灌注的地方，《黄帝内经》上说："五脏六腑之精气，皆上注于目。"所以每天每条经的气血都流向此处，这里就像是一个洼地，阴经的气血注于目内，阳经的气血流于目围。脾虚则水湿不运，胃经之湿浊则上行于眼下四白穴；肾虚则水道不通，膀胱经之湿浊则由攒

经常按揉四白、攒竹、晴明穴，可以化解湿浊，消除黑眼圈和眼袋。

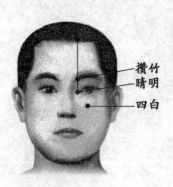

竹穴、睛明穴旁注于眼上，所以通常讲上睑肿肾虚，下睑肿脾虚。知其成因，我们就可以及早防患。

我们完全可以在50岁仍然没有鱼尾纹，可以终生都没有老年斑，而眼袋和黑眼圈也不是自然衰老的必然产物。

有人说，你还没到50岁，怎敢妄言50岁的事情呢？其实，我即使言出必中，也仍然是一家之言，您且做个参考，会有很多人想先去找到科学的验证才愿去实施，那也很好，走一条严谨的路，也是一种生活态度。

黑眼圈被公认为是熬夜的必然产物，是很有道理的，但其机理是什么呢？是肝血被过多地消耗所致。肝血被消耗过多，就会导致胆经的虚弱，眼睛周围的供血主要是依靠胆经来供应的。睡觉时血归于肝，正是养肝生血的最好时机，肝与胆相表里，肝血旺则胆气足。夜里肝血主要是用来消化解毒，既解有形之血毒，也舒无形之气郁，所以叫做"肝主疏泄"，也就是所谓的"推陈出新"。若夜里不休息，强将肝血调用到娱乐上，肝解毒之力就会减弱，血液就会变得很脏，而且制造新鲜气血的能力降低，不但眼睛会由于供血减少而酸涩，眼周围也会由于胆经供血量不够且血液不够新鲜而显得晦暗，造成黑眼圈。有些人并不熬夜，也有黑眼圈，多为肝气郁结、胆经气血不畅所致。

还有长在眼角的鱼尾纹，也会让我们感到忧心忡忡，但大家一看便知，胆经第一个穴——瞳子髎，正好长在鱼尾纹的位置，所以这就既告诉了我们鱼尾纹的成因，即胆经气血不足或瘀阻了，也告诉了我们解决的办法，那就是养肝利胆。

但如果是皮肤先失去弹性，面部整个松弛下来，那时就不光有鱼尾纹，而是满脸皱纹了。此时光通胆经就无效了，而是要改善整个面部的供血，那就要去敲打按摩胃经了，因为面部的气血主要是靠胃经

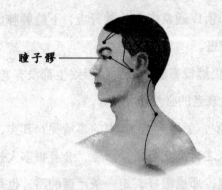

瞳子髎

瞳子髎是胆经第一穴，
胆经气血瘀阻就会出现鱼尾
纹，所以要经常敲胆经。

来供应的。但胃经只是个通道，除了要通畅以外，还要气血充足才行，
所以心脏的供血一定要充足。而心脏的供血是由肝来完成，转来转去，
又到肝上了。由此可见，要想美容，一切从肝开始。

最后说黄褐斑，更与肝胆郁结有直接关系。有黄褐斑的女性，通
常同时也有妇科的病症。还有一种是长在太阳穴附近的黄褐斑，那是

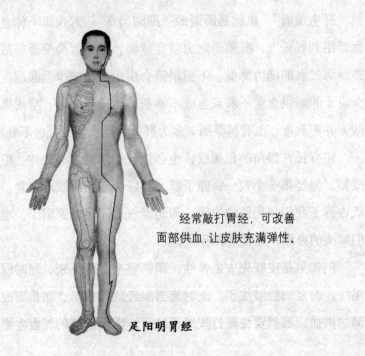

经常敲打胃经，可改善
面部供血，让皮肤充满弹性。

足阳明胃经

肝胆瘀滞堵塞在三焦经所致，通常也是更年期综合症的早期信号，需要及早调理三焦经来防治。

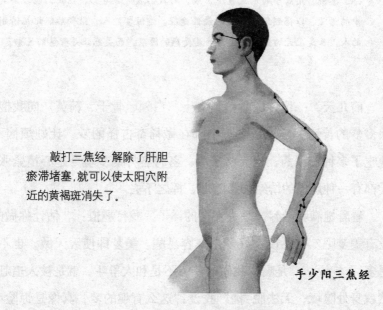

敲打三焦经，解除了肝胆瘀滞堵塞，就可以使太阳穴附近的黄褐斑消失了。

手少阳三焦经

知道了美容问题的症结，我们就有了明确的目标。具体的操作，就要依您身体的实际情况、喜欢的方法而灵活运用。按摩、敲打、刮痧、拔罐、针灸、服药、瑜伽、太极、打坐，只要能达到养肝利胆之效，就可以随意而为。但如能心胸舒畅，情志调达，自会百脉皆通，气血充足。前面所有的健身方法，不过是铺石引路，借假修真罢了。

4. 梦境是生活的一种回报

> 　　梦境是上天给予我们心智的启发，它将我们日常生活中的忧虑，困惑、感慨，用故事的形式重现出来，给我们放一遍电影，让我们能理解其中的意义，以得到解决问题的最佳途径。爱做梦的人，做梦后能记忆清晰的人，真是上天的宠儿。因为梦是灵感的源泉，而灵感正是智慧的兄弟。

　　前几天，一位"白骨精"女士（白领、骨干、精英）向我抱怨失眠多梦的苦恼。她说自己整宿都在做稀奇古怪的梦，让她烦恼不堪。她吃了多种安眠药，也无济于事。各种各样的梦境令她心情紧张，整天都有一种焦虑的情绪如影随形，挥之不去。

　　看着她满脸倦容，垂头丧气的样子，我打趣道："估计你做的梦，没有美梦吧？俗话说：好梦由来容易醒。美梦即使天天做，也不会觉得多。"她说："是啊，我做的梦，不是和人争斗，就是被人追赶，不然就身处险境，无法脱身。"我说："这么有趣的梦，真像是惊险小说，不妨说来听听。"

　　她说："在梦里时，连追赶我的人脸上的痦子都看得清清楚楚，但是具体情节，过后却忘记了。"我说："梦境是上天给予我们心智的启发，它将我们日常生活中的忧虑、困惑、感慨，用故事的形式重现出来，给我们放一遍电影，让我们能理解其中的意义，以得到解决问题的最佳途径。这里的'上天'，并不是有什么神仙的恩泽，而是我们自己心灵的感悟，这是最有智慧的。很多人不相信心灵的指引，却只相信书本，相信'权威'们的陈词滥调，用别人的信条来规划自己的生活。爱做梦的人以及做梦后能记忆清晰的人，真是上天的宠儿。因为梦是灵感的源泉，而灵感正是智慧的兄弟。"

那"白骨精"一听此话，顿时精神抖擞，黑眼圈都泛出了亮光，急切地问道："那你说说我的那些梦，都有什么含义呢？"我说："这其中的答案最好你自己来寻找。从梦中醒来时尽量把梦境详细地记录下来，越详细越好，就连梦中的一草一木，一针一线也不要丢掉，细节的背后通常都有其深刻的涵义。开始的时候，可以只记录不思考，记录一段时间以后，经常回过头来看一看，答案或许就会跃进你的脑海。往往是你在现实生活中碰到某件事，突然就想起了这个梦，那时你不用费心去思索，答案就在心里了。"她高兴得手舞足蹈，又神采飞扬地说："没想到，我这久治不愈的毛病倒是一件难得的好事，我恨不得现在就躺下做梦呢！"

我本人对梦一直情有独钟，但一觉醒来，很少能记得住什么。我也曾有意识地在白天打个盹，做个小梦，然后记下来玩玩，对增强记忆力很有帮助，因为复返梦的路径正如同回忆英语单词，两者的感觉几乎是一样的。有时遇到困惑不解的事情，我就躺下来，在半梦半醒之间，常常会有些想法飞进我的脑海，我通常认为它比书本的知识更有价值。

几天后，"白骨精"打来电话，显得有些懊丧。她说："自打跟您谈完以后，却睡得沉了，几乎不做梦了，就算做梦也是浅尝辄止，醒来后就记不清了。"我说："好呀，这不正是你所希望的吗？""可我还想得到更多的灵感呀。"她说，"以前做了那么多梦，我都没能好好把握，现在想好好回味一下，却无从得到了。"我说："灵感若能被随意抓到，那还叫什么灵感。许多事情可遇不可求，寻梦之法，只是让你在灵感常出没的地方等待，犹如等待你的梦中情人，你不知他住在何方，于何时出现，就像那句脍炙人口的词：'众里寻他千百度，蓦然回首，那人却在灯火阑珊处。'"

■ 感悟《求医不如求己》■

人生观价值：

老师说得不错，有很多自身潜在的疾病，自己还没有什么感觉的时候，身体会以梦的方式和你说话，这就是你自身的灵感。

sail830105：

老师的治病之方真厉害！好多事情就是这样，你越想往东，它就越往西，你顺着它就对了，这才是你真正想要的。好多事都是同样的道理，包括教育孩子、对待疾病……

麦青苗：

我也曾经因为做梦太多很苦恼。可是后来发现，梦境的确跟人的日常生活所遇见的事情有很大关联。于是我笑着说，梦会通知我现在所处的是哪一个位置，哪一类的状况。虽然有时候，身体会因为梦而感觉累。不过，像郑老师这样灵巧地使用梦来帮助自己，甚至故意去求梦来解答，的确是高招，是高手之中的高手。反被动为主动，这很值得我们学习。其实我觉得将自己的心情记录下来，表面是一篇文章，可是却也帮助了别人，这是很好的事情。

hadhad1：

老师此文对我的启发可谓大矣，有缘者当有所悟！"昔者庄周梦为胡蝶，栩栩然胡蝶也，自喻适志与，不知周也。俄然觉，则蘧蘧然周也。不知周之梦为胡蝶与？胡蝶之梦为周与？周与胡蝶则必有分矣。此之谓物化。"故佛说："颠倒众生。"老子曰："反者，道之动也。"《易经》曰："易，逆数也。"明乎昼夜之道，通乎醒梦之理，则切之己也。

5. 梦更是祛病养生的良药

> 其实，我们每天的梦都是一部生动感人的大片，假如您懂得她、会欣赏她，那么您的生活从此将增添多少激动人心的画面，将收获多少昙花一现的灵感。人生如梦，多一些梦的情怀，人人都将是伟大的艺术家。

自从我写了《梦境是生活的一种回报》一文之后，"美梦共享"便成了办公室同事们的热点话题。大家都说，对梦的交流使生活平添了许多灵感和乐趣。

比如前天午餐时，同事小李问我："郑老师，我昨天梦见'刺儿猬猬'了，不知是什么意思？"小李是内蒙来的，那里的人管刺猬叫"刺儿猬猬"。我不假思索地说："梦见刺猬，那是代表你的男朋友了。"

"噢？是这样吗？我梦见一只老鼠，跟着刺儿猬猬在钻洞。"

"那就更对了，你今年23岁，属鼠，那老鼠正代表你本人。"

"您说得对，我也觉得自己是那只老鼠，开始的时候我们好像是遇到危险了，刺儿猬猬就带着我钻洞，我们好像钻了好久，那洞很宽敞明亮，在里面一点也不害怕，只是感到跑得气喘吁吁的。后来，我就先跑出洞了，坐在洞口对面的大石头上歇着，看着刺儿猬猬不一会儿也从洞口慢吞吞地钻出来，对我说：'你看，这不出来了，什么事儿也没有。'"

我说："你真是做了个好梦，把你和男朋友同甘共苦，携手并进的整个过程，通过老鼠和刺儿猬猬钻洞的情节，活灵活现地表现出来，简直就是上演了一出动人的人生动画大片。"

小李听我这么一说，高兴得手舞足蹈，说："郑老师，那您每天吃中饭的时候帮我解梦好不好？"我连连摆手："你的梦，我来给你解多没意思，而且也不准呀，你还是'自性自度'吧!"小李显得有些失望，说："像我这等俗人，哪里会像老师那样能看到其中的玄机呢?"我说："咱们都是俗人呀，'人,吃'谷子'，可不就是个'俗'嘛! 如果人到山里去修道，或许会成'仙'，如里超出人的境界，弗(不)是人，那就成'佛'了。"

小李大笑说："郑老师，汉字里竟有这么多的玄机呀，太好玩了!"我说："这算什么玄机，不都写在字面上了吗，谁都看得明白，只是一般人不仔细看罢了。同样你的梦也是如此，认真去看自然就能明白。"

其实，我们每天的梦都是一部生动感人的大片，假如您懂得她、会欣赏她，那么您的生活从此将增添多少激动人心的画面，将收获多少昙花一现的灵感。人生如梦，多一些梦的情怀，人人都将是伟大的艺术家。

■ 感悟《求医不如求己》

hadhad1:
老师真是寓教于乐，谈笑间使人有所思，有所悟。

6.妙用小周天，寿比彭祖年——改变我们先天之本的道家真功

> 我们总是关注疾病，而不关注健康。要知道，如果您的体质增长一分，疾病就减弱两分。我们既然无法驱散寒冷，那就去寻找阳光吧。疾病是要靠"内力"赶走的，而"内力"是我们每个人所固有的，但要我们去寻找，去培养，去激发，因为它就是我们心中的"太阳"。

在上本书中，我曾经写过一个地板上的健身四法，也就是打通小周天的方法（参见《求医不如求己》P99～P101）。本来觉得这个自己精心挑选的道家养生功法，会被大家视为宝贝，与几位熟悉的朋友一聊才知，大家看书时，一看到"打通小周天"，不知是什么玄学，感觉与自己相隔太远，都将此页一翻而过了，这不禁让我叹息不止。

很多人喜欢金鸡独立，因为随处都可以练习；很多人喜欢推腹法，因为能治慢性病，并与减肥有些关联。但我说的"地板上的健身四法"，也就是"打通小周天"，更为快捷，它包含了铜头撞树、金鸡独立、推腹法、跪膝法、补肾功五大功法的全部功效。今天还得再重提一番，正所谓"道不轻传"，那就"重"传一下吧。

壁虎爬行法：此功法从头到脚，从头项四肢，到五脏六腑，从皮肤肌肉到筋骨关节，都同时得到了锻炼。但由于动作和缓自然，习练者随时交叉处于运动与休息状态，所以不会感到丝毫的疲惫。又加上了意念，把自己想象成壁虎，使"心力"与"体力"相合。这种锻炼之法，体力没有消耗，只有增长，而且增长的是自然协调之力，对于体力虚弱无法进行激烈运动的朋友，最为适用。游戏之间，就练成了"九阳神功"，岂不妙哉？

有的朋友更关心此功法能治什么病，否则说得再好，也觉得与己

无关。"我们总是关注疾病，而不关注健康"，要知道，如果您的体质增强一分，疾病就减弱二分。有的人浑身是病，症状无数，写私信来，问我应从哪个病开始调治，我回复道："从增强体质开始。"既然我们无法驱散寒冷，那我们就去寻找阳光吧。疾病是要靠"内力"赶走的，而"内力"是我们每个人所固有的，但要我们去寻找，去培养，去激发，因为它就是我们心中的"太阳"。

叩首法：可将气血引入头面，开窍醒神之力很强。对于颈椎病、头痛、耳鸣、近视眼、黑眼圈都有疗效，尤其对于长期"一窍不通"的慢性鼻炎患者，多练此功法中的"撞揉"动作，可即时通窍，并作用持久。此外，患腰肌劳损的朋友，若能循序渐进地练此功法，也有很好的辅助疗效。

震动尾闾法：此法最能激发人体的先天之力，撞击的位置正是督脉的长强穴与任脉的会阴穴之间。"长强"就是可以让您长久保持强壮的意思；而"会阴"，相当于瑜伽当中的"海底轮"，是人体能量与自然界能量相通的门户。震动这两个穴，将任督二脉接通，人体就会阴阳调和。此功法对肛门疾病、前列腺疾病、妇科疾病以及男子性功能

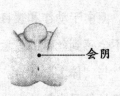
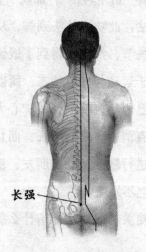

会阴

长强

震动长强和会阴二穴，将任督二脉接通，人体就会阴阳调和。

障碍，都有显著疗效，切莫等闲视之。另外它还有一个神奇的功效，此功法在站起的时候，受力点是脚外侧膀胱经部位，所以最善治风寒感冒，尤其对过敏性鼻炎疗效甚佳。

踏步摇头法：很多早期强直性脊柱炎患者，向我咨询调养方法，我总是推荐踏步摇头法，因为此病症状虽在脊椎，其实病因却在肝肾。踏步摇头时，能激活督脉上的筋缩穴，此穴通肝，善治筋脉拘挛强直，此为"舒筋柔肝之法"。"一摇一踏"，锻炼的部位主要是督脉与膀胱经，督脉为诸阳之会，阳气最盛，膀胱经是寒气出入之所，寒气最多。练此功法时，因为头部要抬起，自然会小腹绷紧，这样会使气聚丹田。丹田气盛则内力转输督脉，令督脉之阳气源源不绝，便可将膀胱经之积寒轻易驱出，随汗而解。此为"散寒补肾之法"。常练此功法，再配

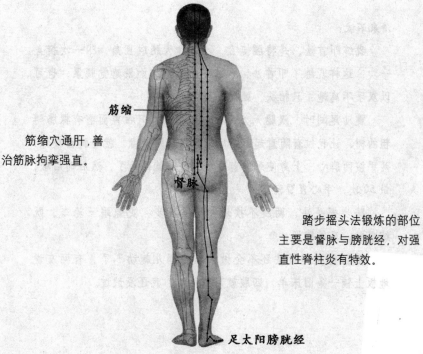

筋缩

筋缩穴通肝,善治筋脉拘挛强直。

督脉

踏步摇头法锻炼的部位主要是督脉与膀胱经,对强直性脊柱炎有特效。

足太阳膀胱经

合其他补益肝肾之法，强直性脊椎炎或有痊愈的可能。

此四法，自从去年6月份在博客上发出，时间已经过去一年多了。有心练习者已大为受益，很多慢性病都得以缓解甚至消除，虚弱之体迅速强健。真希望更多的朋友也能因此踏上健康之路，如果您还在我的书中苦心搜寻与自己相符的病例，不如先练练这地板上的"健身四法"，不要因为给它起了个"小周天"之名而就敬而远之，试着练一练，您将马上找到全新的感觉。

■ 感悟《求医不如求己》

hadhad1：

孟子说："其生色也，晬然见于面，盎于背，施于四体，四体不言而喻。"小周天通畅，身心都会受益巨大，人的气质也会随之变化。

清泉石流：

我练叩首法，是将腰挺直，小腿和大腿成直角，叩一次挺身一次，这样既练了叩首法，也练了跪膝法。如果感觉腰累，也可以双手不离地，只抬头，腿还是直角。

震动尾闾时，双腿无力，根本起不来，只希望面前有棵胳膊粗的树，让我拉着随意起落。后来我将双腿散盘，就是脚面挨地，两手按两脚心，上身使劲向前一冲，臀部就离地了，然后向后墩，做50次，手心直冒汗。

踏步摇头法，两腿不挨地，说是踏步，更像蹬三轮车。既练督脉，又练腹肌。

惟独壁虎爬行法还不会做，趴在那儿就动不了。有网友说上铺一条旧床单，四肢就可以活动，我还没试过。

傻点点：

　　我给大家推荐一种方法，晚上睡前练习可以促进睡眠，早上起床时练习可以提高精神状态。具体做法是：躺在床上，左、右两手劳官穴相对放在关元上，舌头顶住上牙堂，全身放松，用意念使气血流通，可开通大周天。

7.无敌瑜伽

> 瑜伽之功，用的是三脉七轮的心法，对于只想借瑜伽强身健体的朋友来说，太有难度，不是循阶上梯的法门，倒不如咱们借玉雕龙，以印度瑜伽之外形，修中华经络之心法。想打通哪条经络，就练习相应的动作。从而治疗相应的病症。何其简便，何其快捷。

前些天，有幸结识了一位身形秀美的瑜伽教练，是位三十岁左右的女士。她只随意向我展示了几个瑜伽常见的动作，便令我感佩不已，立即申请拜她为师了。

她却不肯收我这个徒弟，她说，其实在练习瑜伽过程中常会遇到各种各样身心方面的困惑，学员们提出的问题，她也不知如何解决，希望我能抽时间给她们讲一讲其中的道理。我对自己不熟悉的事情，向来不敢大放厥词，恐贻笑大方。我说，要好好参研几天，争取能提些有用的建议吧。

第二天，我便收到了这位朋友快递来的瑜伽光盘和书。看着光盘里的瑜伽动作，我百感交集。这些动作实在太好了，从这些功法中，我看到了中国传统的养生精粹：五禽戏、易筋经、八段锦的形迹，还看到了已经失传很久的中医六大治法之一——导引法的踪影，真是踏破铁鞋无觅处，得来全不费工夫。中医的导引法是六大治法的最高境界，是通过调动先天的自然能量，顺势而为，以打通经络为锻炼宗旨，以身心合一为最终目的，打通经络方可百病不侵，身心合一才能快乐无忧。但导引法用于医学上很少，用于武学上却较为普遍，而中国武学最有门户之见，互相倾轧，难以相容，各大门派遮掩私密，很少交流，使此法难以彰显于世。所以本为医家健身防病的寻常法门，终成了玄奥难求的武学秘笈。其实，各家之法，各有所偏，如能互相参证，岂不融通圆满？好在东方不亮西方亮，印度的瑜伽功法，把一套完整的导引之术，现成的摆在面前。唉，真是大道无隐，人自失之。

其实，武林的门派之别，并不取决于外形的动作差异，主要是源于心法修炼的不同。同样的动作，运用不同的心法，便有完全不同的境界。瑜伽之功，用的是三脉七轮的心法，对于只想借瑜伽强身健体的朋友来说，太有难度，不是循阶上梯的法门，倒不如咱们借玉雕龙，以印度瑜伽之外形，修中华经络之心法。想打通哪条经络，就练习相应的动作，从而治疗相应的病症，何其简便，何其快捷！

感悟《求医不如求己》

jmce6159：

如果神农氏在，如果华佗在，如果孙思邈在，如果李时珍在，中华瑰宝何以令人如此堪忧？先人的离去让中医文化流失掉多少，谁又说得清楚？而今天，先生如上天派来的一位使者，为我们传播着先人的中医的思想，传承着前人的中医理念，唤醒人们以往被动的求医观念。在这个充满压力与竞争的时代，因为有中里先生在，所以我们都是幸运的。有了这一份幸运，我们就更应该好好领悟先生传授的"求医不如求己"的真谛，用我们自身的能量来拯救自己。

营养MM：

我摘录一段《霎哈嘉瑜伽》中的文字与大家分享：

"现在很多人熟悉的是一种当做运动来做的瑜伽，这种瑜伽源出于哈达瑜伽（Hatha Yoga），是帕坦迦利所谈的8支瑜伽之一。在《瑜伽经》中，持戒、精进、调身、调息、摄心、凝神、入定、三摩地，是瑜伽的8个步骤。这是从最初步的调理身体开始，一步一步令人达到瑜伽（自我觉醒）的境界。可是目前许多瑜伽课程却将调身这个部分独立来教，不断练习各种姿势（asana），这样当然不可能真正达到瑜伽的目的。而且那些姿势本来只是为身体有毛病的人而设，一个姿势医治某种病。如果将所有姿势不加分辨地练，就相当于把什么药都一并吃下肚。"

这段文字发人深省，现代瑜伽和古代瑜伽谁对谁错，请大家分析。

西夏：

我曾和叶迦老师谈论过瑜伽，老师说瑜伽其实就是中国的导引术。前年购得一本《八段锦功法》，感觉在理论上和瑜伽是相通的。

杨树的眼睛：

我自己就是通过练瑜伽，在精神上得到了很大的改变，但是，在练习的时候一定要有一个好的心境，瑜伽的灵魂在于它的呼吸法，你必须时刻把注意力集中在你的呼吸上，而不是你的体位能达到什么样的程度，这样我们就不会受伤。

一定要配合中里老师的这些养生功，这样才能使中华经络疗法和瑜伽练习更好地互相促进，我按摩经络半年时间，瑜伽突飞猛进。中里老师说得很对，在我们没有机会学习印度正统瑜伽心法的时候，大可以结合我们自己中医经络知识来练习瑜伽，自然是"打遍天下无敌手"。

第六章

百病渐消，清福自来
——经络是人体的医魂

身体就像我们的孩子，你关心她，她也喜欢你。

很多穴位，或许只有一个对您管用，那您就守好这一个吧。关键的时候，有一个朋友就够了。

1. 五行相配的穴位才是人体的妙药

> 有人总说买不到参苓白术丸，而太渊与商丘就是免费的参苓白术丸。学会了五输穴的用法，您可以灵活地搭配出许多免费的中成药来，而且是最正宗且无毒副作用的良药。

有朋友问：你总是说这个穴属火，那个穴属水，这是什么意思呢？这属水属火的究竟是怎么规定的？"金、木、水、火、土"，这是中医的五行学说。有不少人反对该学说，或言之为封建糟粕，故弄玄虚；或说其牵强附会，不符科学。对我而言，五行学说是祖先留给后人的思维工具，用来学习中医，方便顺手，就像我们吃面条用筷子好使，何必非要换成叉子呢？

按照五行学说，肺、大肠属金，心、小肠属火，肝、胆属木，脾、胃属土，肾、膀胱属水，心包、三焦也属火。某条经络上的穴位，一方面同属于这条经络的属性，如肺经的穴都有肺经的"金性"；另一方面，每条经还依五行（金、木、水、火、土）各自构成五个特定穴（井、荥、俞、经、合），叫"五输穴"。"输"就是传导的意思，古人最善比喻，把经络的传导比喻为水流从小到大，从浅入深的变化过程。下面简单说一下"五输穴"各自的含义。

"井"穴多位于手足之端，如肺经的少商穴和脾经的隐白穴。"井"就是水的源头，"井之为义，汲养而不穷"。

"荥"(xíng) 穴多位于掌指或跖（脚掌）趾关节上，如肺经的鱼际穴和脾经的大都穴。"荥"的意思是迂回的小水，像山溪细流。

"俞"(shù) 穴多位于掌腕或跖关节部，如肺经的太渊穴和脾经的太白穴。"俞"是灌注的意思，像山泉的瀑布，倾泻而下。

　　"经"穴多位于腕踝关节以上，如肺经的经渠穴和脾经的商丘穴。"经"是主道，像宽广的江河，畅行无阻。

　　"合"穴多位于肘膝关节附近，如肺经的尺泽和脾经的阴陵泉。"合"喻做江河之水汇入大海。

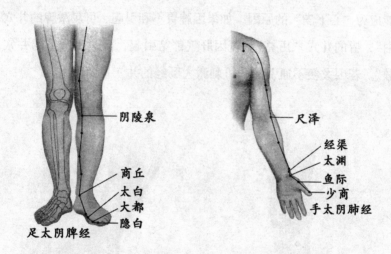

阴陵泉
商丘
太白
大都
隐白
足太阴脾经

尺泽
经渠
太渊
鱼际
少商
手太阴肺经

　　井穴多位于手足之端，如少商穴和隐白穴；荥穴多位于掌指或跖趾关节上，如鱼际穴和的大都穴。俞穴多位于掌腕或跖关节部，如太渊穴和太白穴；经穴多位于腕踝关节以上，如经渠穴和商丘穴；合穴多位于肘膝关节附近，如尺泽和阴陵泉。

　　五输穴以"井、荥、俞、经、合"来说明经气由四肢末端向心脏方向流注于肘膝关节，经气由微至盛，由浅入深，汇入脏腑的过程。五脏（心、肝、脾、肺、肾）所主的经络叫"阴经"，六腑（小肠、大肠、膀胱、胆、胃、三焦）所主的经络叫"阳经"。不管是阴经还是阳经，都有其各自的五输穴，各自的属性也完全不同。阴经的"井"属木，"荥"属火，"俞"属土，"经"属金，"合"属水。而阳经的"井"

属金，"荥"属水，"俞"属木，"经"属火，"合"属土。对于这些属性，其实大家可以不必强记。"五输穴"在一条经络中的功能，就像是一个公司里不同部门主管的作用，中医经典《难经》上说："井主心下满，荥主身热，俞主体重节痛，经主喘咳寒热，合主逆气而泄。"

井主"心下满"，是指胃脘部痞满，郁闷之症。五脏六腑皆有可能成为"心下满"的原因，如果因脾胃不和引起，可刺激脾的井穴"隐白"，胃的井穴"厉兑"。若因肝气郁结引起，可刺激肝经的井穴"大敦"。若因大便不通引起，可刺激大肠经的井穴"商阳"。

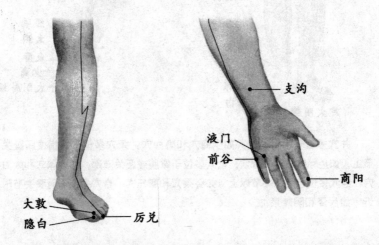

脾胃不和引起胃脘部痞满，可刺激隐白和厉兑；若由肝气郁结引起，可刺激大敦；若因大便不通引起，可刺激商阳。上火引起口疮可选前谷。牙龈肿痛，眼红赤，可选液门。肝火旺引起咳嗽可选支沟。

荥主"身热"，身热可理解为"上火了"，如发烧，咽喉肿痛，可选肺经荥穴"鱼际"。口疮，小便短赤，可选小肠经荥穴"前谷"。口臭，大便燥结，可选胃经荥穴"内庭"。心烦不眠，五心烦热可选心经荥穴"少海"。牙龈肿痛，眼红赤，可选三焦经的荥穴"液门"。各经络的荥穴可以配合使用，祛热功能效果更佳。

俞主"体重节痛"，"体重节痛"是指浑身酸懒，身体倦怠，关节疼痛。如膝关节肿痛，行走困难的，可选肝经俞穴"太冲"，胆经俞穴"足临泣"，上肢关节痛，可选肺经俞穴"太渊"，心包经俞穴"大陵"。白天倦怠嗜卧，无精打采，可选脾经俞穴"太白"，肾经俞穴"太溪"。若是感冒引起的肢体酸痛，可选膀胱经的俞穴"束骨"，胃经的俞穴"陷谷"。俞穴具有健脾祛湿，舒筋活络，祛风止痛的功效。

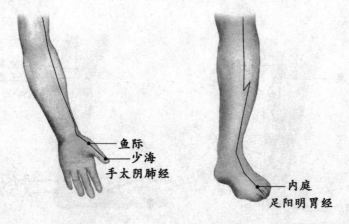

鱼际
少海
手太阴肺经

内庭
足阳明胃经

肺经荥穴鱼际，治疗发烧，咽喉肿痛有特效；若心烦不眠，五心烦热，可选少海；若口臭，大便燥结，可选内庭。

经主"咳喘寒热"，"咳喘寒热"是说经穴善治咳喘之症，且无论是寒性、热性还是阴虚、发热的咳喘，都可选择经穴治疗。《内经》上说："五脏六腑皆令人咳，非独肺也。"如外感咳嗽，可选肺经的经穴"经渠"和膀胱经的经穴"昆仑"；肾虚的咳喘，可选肾经的经穴"复溜"；肝火旺引起的咳嗽可选三焦经的经穴"支沟"；肺气不足的咳喘，可选脾经的经穴"商丘"。经穴有清肺化痰、理气镇咳之效，平日可作为保养肺脏和预防咳喘的要穴。

合主"逆气而泄"，若胃气上逆则呕吐，可选胃经合穴"足三里"；胆汁上逆则嘴苦，可选胆经合穴"阳陵泉"；肺气上逆则咳喘，可选肺经合穴"尺泽"；脾虚便溏腹泄，可选脾经合穴"阴陵泉"；肾虚遗尿，遗精，可选肾经合穴"阴谷"。《灵枢·四时气》中说："邪在腑取之合"；《内经·咳论》说："治腑者治其合"，都是在强调合穴善治脏腑之病。

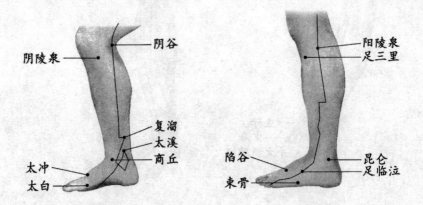

膝关节肿痛可选太冲、足临泣。白天无精打采，可选太白、太溪。肾虚的咳喘，可选复溜，肺气不足的咳喘，可选商丘。感冒引起的肢体酸痛，可选束骨和陷谷。胃气上逆导致呕吐，可选足三里。胆汁上逆导致嘴苦，可选阳陵泉。脾虚便溏腹泄，可选阴陵泉。肾虚遗尿遗精，可选穴阴谷。

五输穴的效用非常广泛，这里只是简单地略述其皮毛，让大家有一个简单的印象。知道了穴位的五行，就可以试着用在日常保健上了。如肺经的太渊穴，是俞穴，属土，肺经属金，正好是"土生金"，又如脾经的商丘穴，是经穴，属金，脾经属土，也是"土生金"。这两穴合在一起来用，补肺健脾，功效显著。有人总说买不到参苓白术丸，而这太渊与商丘就是免费的参苓白术丸。

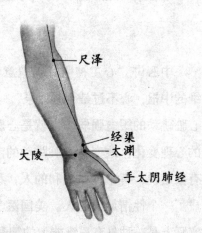

上肢关节痛，可选太渊、大陵；外感咳嗽，可选经渠和昆仑；肺气上逆引起喘，可选尺泽。

学会了五输穴的用法，您可以灵活地搭配出许多免费的中成药来。而且是最正宗且无毒副作用的良药。不要着急，穴位很多，但不用一下子都掌握，学中医，一定要一点一点渗透进去。中医的精髓，是一种思想，是一种文化，是一种精神，是一种人性化的科学，需要灵感，需要领悟，需要身心交融，更需要宽大的胸怀。

2. 福由心经生——清心除烦之要经

> 对于我们普通人来说，"有效就是硬道理"。当我们运用古人"心主神明"的思想，在自己的"手少阴心经"上尝试按摩一番之后，便会真切地体会到，以此法来养心，何愁万病不祛，清福不来？

中医讲"心主神明，魂魄意志，皆为其统"。有人说，脑才是思维的中枢，心不过是个"血泵"，与情志有什么关系呢？其实，一个人心脏跳动的缓急强弱，也就是心脏自身的节奏韵律，完全可以控制人的心理变化。改变了心脏跳动的节律，也就改变了人的心理状态。曾有报道说，有个性格温和的人，移植了心脏以后，性格完全改变，变成了一个性情暴躁的人。美国医学家阿拉特拉斯博士也曾说："心脏实际上是一种具有思维能力的智慧脏器。"

心脏到底有没有思维、情志、意念等精神方面的功能？自古以来，科学家们一直争论不已，我们可以暂且不去管它。对于我们普通人来说，"有效就是硬道理"。当我们运用古人"心主神明"的思想，在自己的"手少阴心经"上尝试按摩一番之后，便会真切地体会到，这条经对调节我们的情志有巨大的作用。《灵枢·口问》上说："心者，五脏六腑之太主也……悲哀忧愁则心动，心动则五脏六腑皆摇。"《内经》上也说："（心）主明则下安，以此养生则寿，主不明则十二官危，使道闭塞而不通，形乃大伤。"这些金玉良言都是在告诉我们，养生必须养心，如果心神昏乱，却想身体健康，根本是不可能的。

也许您会问了，养心又谈何容易呢？《内经》上说："恬淡虚无，真气从之，精神内守，病安从来。"这话虽然是至理名言，却不好操作。于是《内经》上又说了些具体的养心之法："美其食，任其服，乐其俗。"不管是粗茶淡饭还是海味山珍，都吃得津津有味；不管是名牌西服，还是廉价布衣，都穿得落落大方；不管是阳春白雪，还是下里巴人（两首古曲），都听得声声悦耳。还有"以恬愉为务，以自得为功"，也就是说，以让"身心保持愉快"为生活的第一要务，以"让精神感到满足"为事业的最大成功。如果您能按此心法来养心，何愁万病不祛，清福不来？俗话说："药能医假病，酒不解真愁"，真正的病根在心，岂是药力所能及？但药能减轻病痛，正如酒可令人昏眠，在我们尚未"明心见性"之前，还将是我们的伙伴。

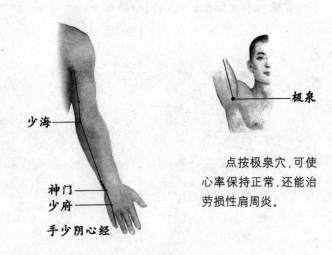

极泉

少海

神门
少府

手少阴心经

点按极泉穴，可使心率保持正常，还能治劳损性肩周炎。

拨动少海穴，可治耳鸣手颤及精神障碍；点掐神门穴可促进消化，助睡眠，预防老年痴呆；按揉少府穴可泻热止痒，清心除烦，通利小便。

而按摩心经，就是最好的药，就是最纯的酒。沿着心经的走向，可以找到以下要穴：极泉穴在腋窝中，点按可使心率正常，又治劳损性肩周炎；少海穴在肘纹内，拨动可治耳鸣手颤及精神障碍；神门穴在掌纹边，点掐可促进消化，帮助睡眠，预防老年痴呆，少府穴在感情线，可泻热止痒，清心除烦，通利小便。此外还有4种常用调心的中成药——柏子养心丸、天王补心丹、牛黄清心丸和人参生脉饮，大家可以根据自己的体质和症状，参选而用。

以下顺口溜也可以助您一臂之力：

心慌气短食不下，可服柏子养心丸。

口燥盗汗大便干，快用天王补心丹。

夜晚难眠心烦热，牛黄清心神自安。

常服人参生脉饮，气阴同补功效全。

3. 危难时刻显身手——化生气血的小肠经

小肠经的穴位，我只说了4个，不到整条经上穴位总数的1/4，但或许只有一个对您管用。那您就守好这一个吧，关键的时候，有一个朋友就够了。

《内经·灵兰秘典论》上说："小肠者，受盛之官，化物出焉。""受盛""化物"是指小肠能够将胃输送来的食物，进行加工，分清泌浊，清者化生成气血津液，给全身供应营养，中医叫"运化精微"；浊者通过大肠、膀胱以二便的形式排出，中医叫"排泄糟粕"。

小肠的这种功能决定了小肠经的治疗范围。《灵枢·经脉篇》说，小肠经是"主液所生病者"。"液"包括月经、乳汁、白带、精液以及现代医学所称的腺液，如胃液、胰腺、前列腺和滑膜分泌的滑液等，所以凡与"液"有关的疾病，都可以先从小肠经来寻找解决办法。

前两天，同事小张问我，"郑老师，我今天不知为什么，左臂总是没有一点力气。"小张是个二十出头的女孩子，身体一向不错。我捏了一下她的胳膊上的小肠经循行的位置，她就说此处又酸又痛。我说："你是不是来例假了？"她说："是呀，今天已经是第三天了！"我说："没事，吃点小枣，补补血，就会好了。"例假来时，气血多供于下焦，给小肠经的供血就略显不足了，所以胳膊就会觉得酸软无力，吃点小枣补一补，自然就没事了。小肠经与体液（月经）的关系，从这个事例可见一斑。

另外，小肠经还是调控产妇乳汁分泌的重要经络。如果产后乳汁不下或量少清稀，通常是小肠经的经络堵塞不通，我们在培补气血的同时（如吃猪蹄和鲫鱼汤），刺激小肠经的相关穴位也可促进乳汁分泌。下面就找几个小肠经的常用穴位说一说。

小肠经从小指旁的少泽穴起始，沿着胳膊外侧循肩膀一直向上到头部，直到耳朵旁的听宫穴，左右各 19 个穴位。其中有 7 个穴在肩膀上，自己按不到，暂时可忽略不记，您只要记住它们的循经路线就可以了，以后为亲人，朋友刮痧按摩的时候会有用。咱们现在要记住的是那些容易找到又确实有效的穴位。

先说"后溪穴"。它的功能很强大，按摩又极为方便，位置在手掌感情线小指侧尽头处，可握拳取穴。后溪穴为小肠经的"俞木穴"，俞主"体重节痛"，因此此穴可治腰膝痛、肩膀痛、落枕。又因后溪是八脉交汇穴，通督脉，督脉入脑，所以又治后头痛、颈椎病和神志病。此穴还有个特殊的功效，就是可以治疗麦粒肿，但最好用艾灸的方法，可做成麦粒大的艾柱，用凡士林粘在后溪穴点燃，通常连灸三柱就会有效，病在左取右后溪，病在右取左后溪。灸后一天，麦粒肿通常可自行消退。

再献给我们的父母一个长寿大穴——"养老穴"，听这个穴名，就可以猜到它的用途。此穴对许多老年病有很好的疗效，可治疗眼花目暗，眼睑下垂，听力减退，肩酸背痛，起坐艰难，脚步沉重，此外还有降血压的功效。此穴在手腕上（小指一侧）。取穴有一个窍门，先掌心向下，用另一手食指按住腕上尺骨小头最高点，然后再将掌心面向自己胸口，另一手食指本来按在骨头上，这一转掌，发现食指已经按在了骨缝中了，这个穴正在骨缝中。

再说一个有神奇功效的穴位"支正"（有"支持正气"之意），它在养老穴直上 4 寸处，是专门治疗扁平疣的。《景岳全书》上说：正虚则血气不行，大则为疣，小则为痂疥之类，用灸法常效验"。可选择上面灸后溪的方法，用艾柱每日灸 5 柱，可连灸一周。从小肠经找到

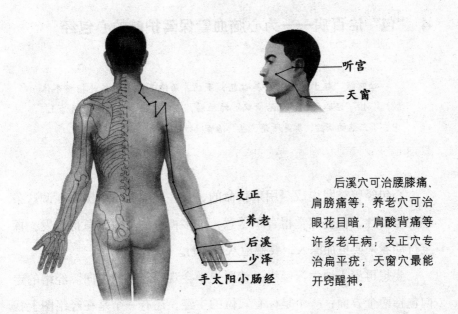

听宫
天窗

后溪穴可治腰膝痛、肩膀痛等；养老穴可治眼花目暗，肩酸背痛等许多老年病；支正穴专治扁平疣；天窗穴最能开窍醒神。

支正
养老
后溪
少泽
手太阳小肠经

一个能治疗扁平疣的要穴，这就提醒我们思考，小肠的功能是否会影响疣赘之物的生成。

俗话说："打开天窗说亮话。"下面就说说"天窗穴"，这个穴是本人最喜欢的穴位之一。"天"指头部，"窗"指孔窍。这个穴最善开窍醒神。目窍开则眼明，听窍开则耳聪，鼻窍开则神怡，所以此穴是我每天伏案工作后必按的法宝。天窗穴非常好找，在耳颈外侧部，胸锁乳突肌的后缘，与喉结处相平。点按此穴，通常酸胀感能窜到后背，顿时会觉得肩膀有轻松之感，所以此穴还是预防颈椎病的要穴。诸位经常守在电脑旁的朋友，若能经常按按此穴，自会获益良多。

小肠经的穴位，我只说了 4 个，不到整条经的 1/4，但或许只有一个对您管用，那您就守好这一个吧，关键的时候，有一个朋友就够了。

4. "包"治百病——为心脑血管保驾护航的心包经

> 心包经"起于胸中，出属心包，下膈，历络三焦（三焦是指整个体腔）。"按"经脉所过，主治所病"的原则，可以看出心包经可以通治上、中、下三焦的病症，真是所谓"包"治百病！

心包经曾被我说成是用来救命的，且在多篇文章中屡次强调这条经的重要性，但仍然觉得言不尽意，许多神奇的功效正急待开发，探宝行动看来要更加深入，要掘地八尺才行。

要想再深入地学习经络，就要先学会观察经络的走向。经络的走向包括两个方面：一个是标有穴位的主经，还有一个是在经络图上找不到的"暗行之路"。如《灵枢·经脉》上说心包经的走向"起于胸中，出属心包，下膈，历络三焦（三焦是指整个腹腔）。"如果我们仅从图中看，心包经是不经过膈肌、上腹、中腹、下腹部的，所以"下膈，历络三焦"就是心包经的暗行之路。虽然这条"暗道"上没有穴位，但是既然经络循行过此，按"经脉所过，主治所病"的原则，可以看出心包经可以通治上、中、下三焦的病症，真是所谓"包"治百病！

心包经在经络图上显示为从胸走手，起于乳头外一寸天池穴，止于中指指甲旁的中冲穴，左右各9个穴位。《灵枢》上说心包经主治"手心发热，心跳不安，胸闷心烦，喜笑不休，臂肘曲伸不利"。现在临床上多用于治疗与心脏、心血管有关的疾患。下面就选几个心包经的常用穴，和大家稍微细致地探讨一下。

曲泽穴：在肘横纹上，曲，这里代表肝的意思；泽，是滋润的意思，所以这个穴有滋养肝的功效。为什么说"曲"是指肝的意思呢？《尚书·洪范》曰："木曰曲直"，肝在五行中属木，曲直是"曲中有直"，也就是"刚柔相济"，说明了肝木的正常属性应该是"坚中有韧"的，就像肝所主的"筋"那样。此穴是手厥阴心包经的合穴，合属水，水能养木，又可去火，专可用来以水灭火，以水涵木，以缓解木旺强直，肝火过盛之症，所以最善治痉挛性肌肉收缩、手足抽搐以及心胸烦热、头晕脑胀等"肝风内动"之症，即现代医学所称的冠心病、高血压等。

郄门穴：在腕横纹上5寸，"郄"的意思是指"深的孔穴"。郄门是心包经的"郄穴"。郄穴在经络中具有特殊功效，专门用于治疗急性病。每条经都有一个郄穴，如胃经的郄穴叫"梁丘"，膀胱经的郄穴叫"金门"。当突发胃痛时可揉梁丘，若急性腰痛就点金门。当心绞痛时点揉郄门穴也可即时缓解症状。不过这些穴位最好平日就多揉，不要非等到急性发作时再去找，恐怕那时就是想揉也没有力气了。

内关穴：在腕横纹上2寸。历来医家都把内关穴当成是个万能穴，为治疗心、胸、肺、胃等疾患的要穴。《百症赋》上说"建里（任脉穴位，肚脐上三寸），内关，扫尽胸中之苦闷。"据我的经验，此穴

曲泽穴可以滋养肝脏；郄门穴可以即时缓解心绞痛。内关穴是治疗心、胸、肺、胃等疾患的万能穴；大陵为健脾要穴，最利泻火祛湿，善治口臭；劳宫穴能及时补充气血。

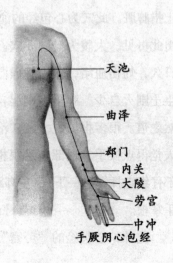

天池
曲泽
郄门
内关
大陵
劳宫
中冲
手厥阴心包经

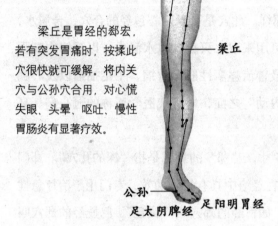

梁丘是胃经的郄宏，若有突发胃痛时，按揉此穴很快就可缓解。将内关穴与公孙穴合用，对心慌失眠、头晕、呕吐、慢性胃肠炎有显著疗效。

梁丘

公孙

足太阴脾经　足阳明胃经

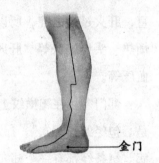

金门是膀胱经的郄穴，若有急性腰痛，点按有特效。

金门

镇静安神的效果不错，可用于心慌失眠；还有止呕的作用，可用于晕车，对于慢性胃肠炎也有显著疗效，但需与脾经的公孙穴合用，效果才好。内关穴还能治疗膝关节痛，但需与"跪膝法"同时合用，疗效始佳。

大陵穴：大陵，意为"大土山"，是说此穴生土最多。五行中的土指脾脏。此穴为心包经的俞土穴，心包属火，自然是"火生土"了。由此可见，大陵为健脾要穴。大陵穴善治口臭，口臭源于心包经积热日久，灼伤血络，或由脾虚湿浊上泛所致。大陵穴最能泻火祛湿。火生土则火自少，脾土多则湿自消。一穴二用，自身能量转化，最是自然之道。很多报道说大陵穴治疗足跟痛效果不错，您不妨一试，但个人觉得点揉手掌根部与足跟相对应部位的痛点效果更佳（可在手掌根部仔细点揉探查一下），左脚跟痛就点揉左手掌根，右脚跟痛则点揉右手掌根。

此外，心包经的"劳宫"穴，我曾解释为"劳累了以后去宫殿休息"，以强调这个穴最补心血。有网友说，揉劳宫穴居然治好了他多年的便秘，真是意外的收获。我真盼望大家都能经常有些意外收获拿出来交流共享，那将是何等巨大的财富呀！

在学习穴位时，大家不要被书上的说明所限制。穴位岂止是这点能量，它就像我们的孩子，您真不知道还有什么超常的能力没被您发现。如果您先入为主，觉得它也就这样了，没什么大的出息了，那您的"宝贝孩子"就真要被埋没了。我们要相信自己的潜能，也要相信大自然总会给我们机会，让我们喜出望外，但如果您没有一颗充满激动与感恩的心，那就永远都将一无所见。

5. 肝经的五输穴是我们消解生活压力的本钱

> 我们的肝脏最能忍辱负重，它每天都要化解血液中的毒素，时时要承受各种情绪上的压力，抑郁伤肝，过劳伤肝，发怒伤肝，喝酒伤肝，吃药伤肝……伤则伤矣，但肝仍然会默默地工作，直至筋疲力尽。肝脏是我们消解生活压力的本钱，可别累坏了它，如果本钱没有了，您还能创造什么呢？

前面已经讲过，五输穴是 12 经络分布在肘膝关节以下的 5 个特定穴位（井、荥、俞、经、合），因为具有金、木、水、火、土五行属性，所以也叫五行穴。五输穴首见于《灵枢·九针十二原》"所出为井，所溜为荥，所注为俞，所行为经，所人为合"，可以说将经络气血流注的状态，用不同的水流，形象地比喻出来，由微至盛，从涓涓细流逐渐汇成滔滔江海。

五输穴对内脏病、五官病、情志病等有独特的治疗作用，是强身保健的方便工具，也是系统学习经络的入门之法。下面举肝经为例，讲述五输穴的具体应用。

大敦（井木穴），在足大趾外侧趾甲角旁一分，古代的医家一致认为此穴为治疗疝气的特效穴。《玉龙歌》说："七般疝气取大敦。"《胜玉歌》也道："灸罢大敦除疝气。"此穴为木经木穴（肝经属木），疏肝理气作用最强，善治因气郁不舒引起的妇科诸症，如闭经、痛经、崩漏，更年期综合症；同时还是治疗男子阳痿、尿频、尿失禁的要穴。此穴用艾灸效果最好。此外，用指甲轻掐此穴还有通便之效。"病在脏者取之井"，若为慢性肝病，此穴更是必不可少的治疗与保健要穴。

行间（荥火穴），在足大趾、次趾的缝纹端。"荥主身热"，行间属火，为肝经的子穴，最善治头面之火，如目赤肿痛，面热鼻血等，掐此穴对眼睛胀痛尤有显效。《类经·图翼》上说："泻行间火而热自清，木气自下。另外，此穴还治心里烦热，燥咳失眠。因肝经环绕阴器，所以行间还善治生殖器的热症，如阴囊湿疹、小便热痛、阴部瘙痒等。对痛风引起的膝踝肿痛，点掐行间也有很好的止痛效果。

太冲（俞木穴），在行间上二寸，第一二跖骨结合部的凹陷中。此穴是最令我敬畏和感动的人身大穴。肝为"将军之官"，太冲穴所表现的功能就如一位横刀立马而又宽宏大度的将军，时时保护着我们的身体，而且有求必应。当我们感到头晕脑胀（如高血压），太冲穴会让我们神清气爽；当我们觉得有气无力时（心脏供血不足），太冲穴会给我们补足气血；当我们心慌意乱时，太冲穴令我们志定神安；当我们怒气冲天时，太冲穴会让我们心平气和。它不怒而威，能量无穷：发烧上火，太冲能去热；身体虚寒，太冲可增温；月经不调，太冲善调理；阳痿遗精，太冲能改善。慢性肝病的调理，太冲也是必选之穴。此外还善治咳喘、感冒和各种炎症，真是：诸病寻它皆有效，没事常揉体自安。这种适合各种体质的好穴，我们要倍加珍惜才是。

中封（经金穴）：在足内踝前一寸。中指"中焦"（因肝在中焦位置），封指"封藏"，要封藏什么呢？当然要封藏人体精血，使之不致轻易耗伤。肝藏血，肾藏精，许多人长年遗精，吃诸多补肾、固涩之药而无效。原因是不知补肾亦当补肝，但自古皆言"肝不受补"，补肝岂不有助火之虞，这种考虑是有道理的，但也不可胶柱鼓瑟，要知其常，也要通其变。"中封"是保养人体精血之要穴，为肝经金穴，金能克木（这里的"克"是约束之意），所以此穴本身就可抑制肝火过旺。金有肃降之性，故此穴可通利小便。"溺窍开则精窍闭"，正是固精之妙法。另外中封还善治脚软无力，步履艰难之症，配合足三里，效果更佳。正如《医宗金鉴》上说："中封主治遗精病，三里合灸步履艰。"

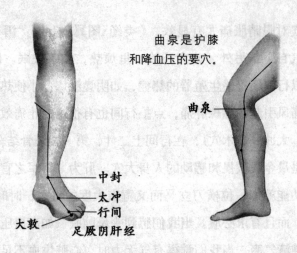

大敦疏肝理气作用最强，行间最善治头面之火，太冲是适合各种体质的保健大穴，中封是保养人体精血之要穴。

曲泉是护膝和降血压的要穴。

曲泉

中封
太冲
行间
大敦
足厥阴肝经

曲泉（合水穴）：屈膝，在膝内侧横纹上方凹陷中。曲指肝木（木曰曲直），泉指肾水。肝属木，肾属水，水能生木，肾为肝之母，根据"虚则补其母"的原则，肝之虚症，可用曲泉补之。肝虚则易倦乏力，肝虚则阳痿早泄，肝虚则心恐善惊，肝虚则血亏不孕，肝虚则头胀眩晕，肝虚则眼花目涩。另外肝主筋，膝为筋之府，曲泉正位于膝关节部位，最善治膝关节疼痛。膝痛曲泉穴必痛，所以此穴为护膝要穴，平日可多加按摩。另外曲泉穴也是降血压的要穴，还能治疗各种湿症，不论湿寒、湿热、风湿、湿毒均可选用此穴。

《黄帝内经》上说："肝主筋，肝者，罢极之本"，"罢极"，是耐受劳苦的意思。"本"，就是资本，本钱。我们的肝脏最能忍辱负重，它每天都要化解血液中的毒素，时时要承受各种情绪上的压力，抑郁伤肝，过劳伤肝，发怒伤肝，喝酒伤肝，吃药伤肝……伤则伤矣，但肝仍然会默默地工作，直至筋疲力尽。肝脏是我们消解生活压力的本钱，可别累坏了它，如果本钱没有了，您还能创造什么呢？

6. 群英荟萃——结拜胆经上的五大英雄之穴

> 我本人也喜欢敲胆经，并敲打得很专注，就像与身体在说话一样。身体就像我们的孩子，你关心她，她也喜欢你。

被吴清忠先生大力倡导的"敲胆经"，实在是一个简洁高效的养生妙法。敲胆经不但能增强胆汁分泌，有助消化排毒，更主要的是能够舒解肝脏的郁结，调节心理平衡，解决诸多身心病造成的亚健康问题。《素问·六节藏象论》上说："凡十一藏取决于胆。"可见胆经的重要作用。

胆经是一条穴位众多的经络，左右两侧各有44个穴位，起于眼外角旁的瞳子髎，止于脚四趾趾甲外侧的足窍阴。胆经上特效穴很多，可谓是群英荟萃，下面先选出5位精英，详解一番，以彰显一下此经的神奇妙用。

先说风池穴。风指风邪，池是浅水塘。此穴为风邪窝积之处，但它隐藏不深，容易露出水面，所以只要我们经常刺激此穴，那么风邪也就没有藏身之所了。风邪，含义很广：感冒，我们常说成是"受了风寒"；头痛头晕，中医称为"头风"；身体抽搐痉挛，叫做"羊角风"；突然起了疹子，俗称"风疙瘩"；脑血栓习惯被称为"中风"等。再者，如出汗怕风，迎风流泪，凡是和风沾边的病症，都与这个穴位有关，所以常揉风池穴，便可预防和调治由风邪引起的众多疾病，如感冒头痛、小儿抽动症、帕金森症等。但风池的功效，远不止这些，头面五官的疾病，如鼻炎、眼疾、耳鸣、牙痛、面部神经麻痹都可通过刺激它得到改善，尤其是青少年的近视眼，此穴为特效穴。之所以没能显示出其应有的功用，主要在于取穴不准，点按无力，且用力方向不对。此穴在后颈部，当枕骨之下入发际陷中，大致与耳垂平。用拇指或食、中、无名三指向鼻根方向用力点按，点按时闭眼效果更佳。通常按此穴一分钟，马上会感到眼睛明亮，神清气爽。另外，此穴还是奇经八脉中的阳跷脉的终止穴，阳跷脉起于足跟，主管下肢运动，所以风池穴还是治疗足跟痛的要穴。

再说肩井穴。凹陷深处为井，此穴在肩膀上较深的凹陷中。右手随意搭在左肩上，右拇指贴于颈左侧，右中指尖下即为此穴。肩井穴之"井"，从字型可以看出其"四通八达"之象，其意正是如此。此穴最善通经活络，消肿散结，善治"不通则痛"之症，对偏头痛、胃脘痛、乳房疼痛有即时缓解之效。另外，肩井穴善治牙痛，若与大肠经

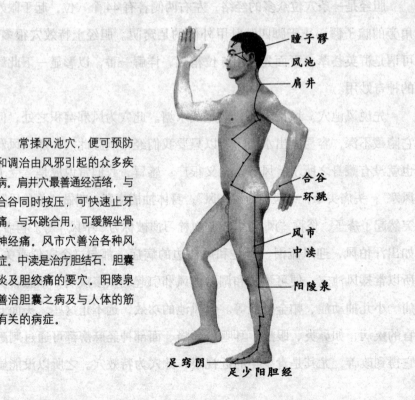

常揉风池穴，便可预防和调治由风邪引起的众多疾病。肩井穴最善通经活络，与合谷同时按压，可快速止牙痛，与环跳合用，可缓解坐骨神经痛。风市穴善治各种风症。中渎是治疗胆结石、胆囊炎及胆绞痛的要穴。阳陵泉善治胆囊之病及与人体的筋有关的病症。

瞳子髎
风池
肩井
合谷
环跳
风市
中渎
阳陵泉
足窍阴
足少阳胆经

的合谷穴同时按压，通常在 30 秒内，止痛效果就很明显。您不妨收藏此法，以备急用。另外，拿捏肩井穴还可缓解坐骨神经痛，正所谓"下病上治"，若能同时用肘尖按揉臀部胆经的环跳穴，效果更佳。

再往下说就是风市穴。此穴最好找，直立，将手垂于两腿外侧，中指尖处即为此穴。风市，是风邪的"市场"。此穴也善治各种风症，与风池穴有近似功效，也可治头痛眩晕，耳鸣耳聋。而且其还有安神之功效，用按摩棒稍重一些点按此穴一分钟便会产生睡意，对改善失眠有很好的效果。此外，风市穴对三叉神经痛也有辅助疗效。在此穴刮痧，还有祛风止痒之功效。

在风市穴下二寸，有个穴叫中渎。中，指中焦（包括脾胃肝胆）；渎，本来是污水沟的意思。中渎，中焦的排污通道。中焦只有一个地方常堵塞瘀滞，那就是胆囊及胆管。所以中渎是治疗胆结石、胆囊炎及胆绞痛的要穴。古人将治法隐藏于穴名之中，以传承其效验，真是用心良苦，令人赞叹。其实敲大腿上的胆经部分，主要就是敲击风市与中渎穴，此处肌肉较厚，穴位较深，建议用四指关节尖来敲打，效果更佳。

最后说一个大穴——阳陵泉。在膝盖下外侧，腓骨下头前下方凹陷中。此穴为胆经之合穴，善治胆囊之病，对嘴苦之症有特效；该穴还为筋之会穴，凡与人体的筋有关的病症，皆可通过刺激阳陵泉来改善，如小儿抽动症、肋间神经痛、肩肘关节痛、急性腰扭伤等。而且此穴还有一个更重要的功能，那就是调和肝脾。阳陵泉为胆经合穴，胆经属木，气通于肝，合穴属土，血贯于脾，此穴正为调节肝脾功能之枢纽。对于妇女月经不顺，内分泌失调，甚至更年期综合症，拨动刺激阳陵泉，总能解纷扰于乱世，化干戈为玉帛。此穴最善舒肝解郁，常与著名的"消气穴"太冲合用，功效更为明显。

我本人也喜欢敲胆经，并敲打得很专注，就像与身体在说话一样，身体就像我们的孩子，你关心她，她也喜欢你。

■ 感悟《求医不如求己》

入市6年：

　　秋风吹来，夏天过去了，妈妈换上春秋的衣服，惊讶地发现原来很紧的裤腰居然松了，然而体重并没有变化，这就是整个夏天坚持敲胆经的效果！周末家庭聚会时，姑妈也说，衬衫最后一颗纽扣，春天扣不上的，现在已经可以轻松扣上了，这也是整个夏天坚持敲胆经的效果！

7. 治疗一切慢性病的关键就是健脾

如果我们没有优越的先天遗传，我们也无需抱怨，毕竟大自然还同时给了我们"五彩娲石"以补天。也许这正是我们的生命历程，不经历风雨，怎能见彩虹。

在中医理论中，脾的功能非常巨大，被称为是"后天之本"和"气血生化之源"。运用健脾的方法，可以迅速增长人体的气血，为防病治病储备了能量。当新鲜的血液源源不断地生成，并供应到全身各处，疾病便无藏身之地。因为治愈疾病的过程，就是把新鲜血液引到病灶的过程。脾正具备了生成气血和运送气血两大功效。此外，脾属土，土能克水，从而可以调控人体水液的代谢，如果人体水液代谢失常，体内就会有湿浊生成，而湿浊正是许多疾病滋生的土壤。所以说，治疗一切慢性病的关键，就是让脾强壮起来。

在饮食上，我们已经知道了健脾最快的是山药薏米芡实粥、红枣、牛肉、四季豆。另外我们还可选中成药参苓白术丸、补中益气丸、人参健脾丸。此外，还可以随时随地按摩我们的脾经，这条经有许多非常有用的穴位，有的增长气血，有的善祛湿浊，有的专除腹胀，有的开胃消食，有的调经止痛，有的祛风止痒。脾经起于大脚趾端隐白穴，止于腋下侧肋大包穴，左右各 21 个穴。下面咱们就把主要的穴位一一道来。

隐白（井木穴）：在足大趾趾甲根的内侧角。脾经属土，木穴通肝。脾统血，肝藏血，此穴最善止血。像子宫出血、月经过多、崩漏等，都可选用此穴。通常可用艾条或香烟灸一灸，在穴位上距皮肤1~2厘米处，灸至皮肤发红为度。此法还可治疗小儿因肚子不舒服引起的夜啼不止，但要注意灸的时间要短些，以免起泡。常揉此处还可防止流鼻血，对过敏性鼻炎也有辅助疗效。

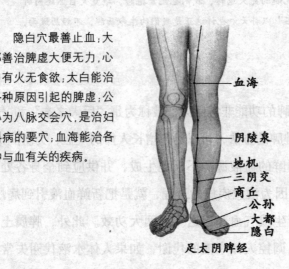

隐白穴最善止血；大都善治脾虚大便无力，心中有火无食欲；太白能治各种原因引起的脾虚；公孙为八脉交会穴，是治妇科病的要穴；血海能治各种与血有关的疾病。

血海
阴陵泉
地机
三阴交
商丘
公孙
大都
隐白

足太阴脾经

三阴交是生殖病专穴，地机穴是糖尿病必选，阴陵泉专祛湿毒，商丘穴最善消炎。

大都（荥火穴）：在足大趾本节后内侧陷中，脾经属土，火能生土，所以此穴为本经母穴。善治脾虚大便无力，心中有火不欲食，以及缺钙引起的腰痛、腿抽筋等。

太白穴（俞土穴）："太白"为古代星宿之名，传说此星有平定战乱、利国安邦之能。太白是土经之土穴，阴经以俞代原，故而又是脾经的原穴。此穴为健脾要穴，能治各种原因引起的脾虚如先天脾虚，肝旺脾虚，心脾两虚，脾肺气虚，病后脾虚等等；并有双向调节作用，如揉此穴腹泻可止，便秘可通；另外点揉太白穴还可调控血糖指数，高者可降，低者可升。

公孙穴（脾经络穴）：公孙的含义为"脾居中土，灌溉四旁，有中央黄帝，位临四方的意义，黄帝姓公孙，故以此为名"（《中医杂志》

1962 年第 11 期《概述腧穴的命名》)。这个命名言简意赅，正道出了公孙穴运通十二经，将脏腑气血灌注四肢末端的微言大义。此穴为八脉交会穴，通于冲脉，冲脉为妇科主脉，所以公孙是治疗妇科诸症的要穴，如痛经，不孕，崩漏。此穴是脾经络穴，脾胃相表里，所以一穴可治脾胃两经之病。所以胃痛、胃胀、胃下垂，都可按公孙取效。就连胃经头痛（眉棱骨痛），揉此穴也有很好的效果，所以真要感谢"公孙黄帝"对子孙的厚爱。此穴还能治高血压、手麻、腰痛，真是无微不至，若配以心包经内关穴同时使用，效果更佳。

血海穴：屈膝，在髌骨内上缘 2 寸。男子以气为根，女子以血为本，血海穴是妇科最常用穴位之一，能通治各种与血有关的疾病，不管是出血，瘀血，还是贫血，血不下行，都可选用此穴。此穴还有一特殊功效，专能止痒，取艾条或香烟灸此穴 2 分钟，常会有意想不到的效果。

脾经其他的穴位，也都身怀绝技，三阴交是生殖病专穴，地机穴是糖尿病必选，阴陵泉专祛湿毒，商丘穴最善消炎。我们身上，真是百药俱全。

如果我们没有优越的先天遗传，我们也无需抱怨，毕竟大自然还同时给了我们"五彩娲石"以补天。也许这正是我们的生命历程，不经历风雨，怎能见彩虹。

8. 内分泌失调从三焦经寻找出路

> 经络穴位，就是我们与身体交流的通道，想要真正认识自己，不必去
> 远方寻求开悟，因为答案就在我们自己身上。

三焦，用通俗的话来说，就是人整个体腔的通道。古人把心、肺归于上焦，脾、胃、肝、胆、小肠归于中焦，肾、大肠、膀胱归于下焦。《难经·三十八难》云："三焦者，主持诸气，有名而无形。"《灵枢》上说三焦经"主气所生病者"，这种"气"类似于现代医学所讲的内分泌的功能。

去医院看病，很多症状查不出病因，往往会被诊断为"内分泌失调"。但很多时候，也很难确定是哪个内分泌系统出现了问题，这时大夫常常会给您一些谷维素或维生素 B_{12} 这些比较安全平和的药物，但治疗作用实在有限。当您焦虑不安、不知所措的时候，不妨揉揉自己的三焦经，求医不如求己，效果通常会让您喜出望外。

三焦经从手走头，起于无名指指甲角的关冲穴，止于眉毛外端的丝竹空，左右各23个穴。三焦经属火，焦字本身就是"火烧"的意思。看来此经"火气"不小。三焦经与胆经是同名经，二者都是少阳经，上下相通，所以肝胆郁结的"火气"也常常会由三焦经而出，于是三焦经便成了身体的"出气筒"。三焦经直通头面，所以此经的症状多表现在头部和面部，如头痛、耳鸣、耳聋、咽肿、喉痛、眼睛红赤、面部肿痛。三焦经的症状多与情志有关，且多发于脾气暴躁之人，打通此经，可以疏泄"火气"，因此可以说三焦经是"暴脾气"人群的保护神。及早打通此经，还可预防"更年期综合症"的困扰。此经穴位多在腕、

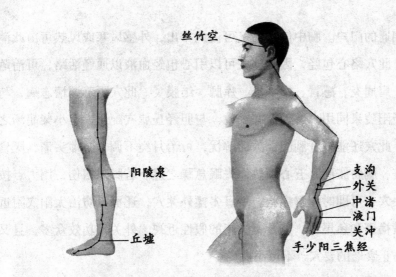

丝竹空

阳陵泉

丘墟

支沟
外关
中渚
液门
关冲

手少阳三焦经

　　液门善治口干舌燥等津液亏少之症；中渚最能舒筋止痛；外关可排出胸
中郁结之气，与阳陵泉配伍，有逍遥丸之效，其与丘墟配伍，能舒肝利胆；
支沟化解风寒，善治急性头痛等。

　　臂、肘、肩，"经脉所过，主治所及"，所以对风湿性关节炎也有特效。
下面咱们就挑选几个自己容易操作的穴位试一试。

　　液门（荥水穴）：津液之门，在无名指、小指缝间。此穴最善治
津液亏少之症，如口干舌燥，眼涩无泪。"荥主身热"，液门还能解头
面烘热、头痛目赤、齿龈肿痛、暴怒引发的耳聋诸症，此穴还善治手
臂红肿、烦躁不眠、眼皮沉重难睁、大腿酸痛疲劳诸症。

　　中渚（俞木穴）：此穴在手背侧，四、五掌骨间。俞主"体重节
痛"，木气通于肝，肝主筋，所以此穴最能舒筋止痛，腰膝痛、肩膀痛、
臂肘痛、手腕痛、坐骨神经痛，都是中渚穴的适应症。此穴还可治偏
头痛、牙痛、耳痛、胃脘痛、急性扁桃体炎。此外，四肢麻木、腿脚
抽筋、脸抽眼跳等肝风内动之症，都可掐按中渚来调治。

　　外关（络穴）：此穴非常好找，在腕背横纹上 2 寸。外关即与外

界相通的门户。胸中郁结之气可由此排出，外感风寒或风热可由此消散。此穴络心包经，因此外关可以引心包经血液以通经活络，可治落枕、肩周炎、感冒、中耳炎、痄腮、结膜炎。此穴更善调情志病，与胆经阳陵泉同用，有逍遥丸之效。与胆经丘墟穴配伍，有小柴胡汤之功。此穴还能舒肝利胆，散郁解忧，可治月经不调，心烦头痛，厌食口苦，胸胁胀满，五心烦热，失眠急躁之症。若脚踝扭伤，用力点按外关穴，可即时缓解症状。平日多揉外关穴，还可以防治太阳穴附近长黄褐斑和鱼尾纹，以及青少年的假性近视。外关穴功效众多，且又是防止衰老的要穴，不可小视。

再说个支沟穴，此穴在外关上1寸。所以与外关穴的功用较为类似，也可舒肝解郁，化解风寒，但同时还善治急性头痛、急性腰扭伤、胆囊炎、胆石症、小儿抽动症。古书皆言其善治便秘，但其最为特效是治疗"肋间神经痛"，俗称"岔气"。当岔气时，用拇指重力点按支沟穴，即时见效。

三焦经暂时说到这里，其实这条经络的功效，远不止这些，朋友们自己去慢慢探寻和体验吧。经络穴位，就是我们与身体交流的通道，想要真正认识自己，不必去远方寻求开悟，因为答案就在我们自己身上。

9. 肾经是强壮一生的经络

> 肾是先天之本，是我们身体的根基。我们要及早培补它，时时加以呵护，千万别让我们的根基动摇倾倒。您只要经常刺激几个肾经大穴，让它们常葆活力，您自己也就会觉得活力四射。

前几日，邻居刘姐叫我过去给她家大哥把把脉，说近日他总发低烧，咽喉肿痛，左肋胀痛，感觉饿却不想吃饭，心里老是七上八下，烦躁不安，头昏昏的总想睡觉。去医院做了化验，指标都正常，中医给开的小柴胡颗粒，吃了两盒，却不见好。我搭了下脉，脉象较为平和，并没觉出有什么异常，问了一下二便，也都正常。正在低头思忖之际，大姐的一句话提醒了我："他白天一天都没事儿，但只要一过下午 5 点钟，马上开始发烧。"下午 5 点到 7 点，乃肾经流注时间，莫非是肾出了问题？看看他肋骨疼的位置，正是京门穴（肾的募穴），结合他说的症状，我建议大哥去医院照个 B 超。第二天，B 超结果出来了，说是肾上长了个瘤子，大哥当时就住院了。

《灵枢经脉》描述肾经的病状："饥不欲食……气不足则善恐，心惕惕如人将捕……口热，舌干，咽肿止气，嗌干及痛，烦心……嗜卧，足下热而痛。"邻家大哥的许多症状都与此说较为符合，只是发现得太晚，恐是凶多吉少。作为日常保健，肾经是不容忽视的。肾是先天之本，是我们身体的根基。我们要及早培补它，时时加以呵护，千万别让我们的根基动摇倾倒。下面讲几个肾经大穴，您只要经常刺激它们，让它们常葆活力，您自己也就会觉得活力四射。

太溪（俞土穴）：在内踝高点与跟腱之间的凹陷中。此穴是俞土穴，阴经以俞代原，所以也是肾经的原穴。太溪穴治疗范围极广，是个大补穴，很多人觉得自己肾虚，如感觉腰酸膝软，头晕眼花，按按太溪，当时就会见效，比吃补肾药快得多。具体地说，太溪穴可以治疗足跟痛、失眠、耳聋、耳鸣、支气管哮喘、小儿抽动症、经期牙疼、肾虚脱发、内耳眩晕症、高血压、遗精、遗尿、假性近视。总之按揉这个穴，能够改善体质，是治本强身之穴。

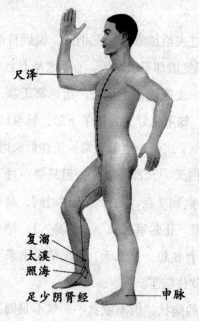

太溪穴为补肾要穴，多按揉能够改善体质；照海能治疗多种眼疾以及咽喉肿痛，与申脉配伍可治疗失眠和神经衰弱；复溜通经活络，利水消肿，功效极多，与尺泽穴同用，疗效更好。

照海穴：在足内侧，内踝尖下方凹陷处。照，为光明所及。此穴是治疗眼疾的要穴。照海，是说刺激此穴，能够让您的目光明亮，照见大海的广阔，这个场景还是很让人神往的。照海是治疗咽喉痛的要穴，不论是急慢性扁桃体炎，还是咽炎、鼻咽管炎，都有很好的疗效。此穴有很好的安神镇定之功，配合膀胱经的申脉穴，治疗失眠和神经衰弱效果极佳。还可用于治疗中风偏瘫的足内翻。此外，此穴还是利尿消肿的要穴，经常点按，可以增强肾的泌尿功能。

复溜（经金穴）：在太溪穴直上 2 寸。溜，水迂回缓流的样子；复溜，就是让死水重新流动起来的意思。此穴专能通经活络，利水消肿，去腐生肌。所以可以治疗气血瘀阻的慢性腰痛、膝关节肿痛、水肿少尿、月经不下、泌尿系统感染、溃疡伤口不愈诸症。复溜穴属金，肾经属水，复溜穴为本经的母穴，既能生肾水（金生水），又能平抑肝火（金克木），所以还可以治疗夜间烦热失眠、咳喘盗汗、口干尿频，与肺经的尺泽穴同用，疗效更佳。此外，复溜穴还能治疗手脚麻木、眼皮下垂、眼痛散光等等，它的功效太多了，真是随身药囊中不可或缺的宝贝。

肾经就先说这三个大穴吧。古人对肾格外重视，《黄帝内经》上还特意传授了补肾之法——"坠足功"："缓带披发，大杖重履而步。"短短十个字的补肾法，谁会去注意呢？

10. 胃经——多气多血的勇士

> 胃经上行头面，令我们脸色红润，下行膝足，让我们步履矫健，激活
> 这条能量的供给线，让它时时保持充足旺盛，那样，我们就可以永远昂首
> 挺胸，精力无穷。

俗话说"人吃五谷杂粮，没有不生病的"，其实我们身体的很多病都是吃出来的。真羡慕有些人，见什么都有胃口，吃什么都能消化，相声里说这种人——吃秤砣能拉出铁丝来。而且，胃口和心情关系很密切，通常吃了一顿可口的饭菜，精神也会为之一爽。

爱吃，能吃，还能消化，这是一种难得的福气，通常叫做有"口福"，也是身体健康的一个指征。但有的人是光能吃不能消化，结果长了一身赘肉；还有的人，一点胃口也没有，每顿只能勉强吃下一点点；再有的人就是胃里总不舒服，吃点东西就胃痛；另外还有人胃极为敏感，怕冷怕硬，怕辣怕酸。胃一有病，整个身体都会觉得虚弱，心情也好不起来，而且"胃不和则寝不安"，也会直接影响睡眠质量，所以我们要及早调治才行。调治胃还是用胃经最为便利和迅捷。下面就说说胃经的几个要穴。如果您能坚持去认真操作，我想不出一周就会见到切实的变化。

足三里（合土穴），这是一个被历代医家赞誉最多的人体大穴，被奉为长寿第一要穴。据说日本人还有一句谚语："不和'不灸足三里'的人同行。"因为他们认为，灸足三里可以增强人的免疫力，是爱惜生命的表现。日本的科技不能说不发达，依然将中国的医学视为珍宝，可我们自己却要废除它，真让人痛心疾首。老祖宗的这点好东西，最后真不知会不会落在自己子孙的手里。足三里，在膝眼下 3 寸向外旁

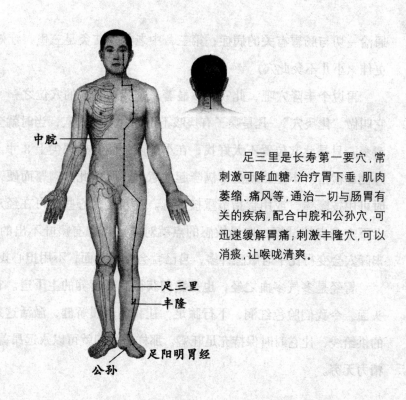

中脘

足三里是长寿第一要穴，常
刺激可降血糖，治疗胃下垂、肌肉
萎缩、痛风等，通治一切与肠胃有
关的疾病，配合中脘和公孙穴，可
迅速缓解胃痛；刺激丰隆穴，可以
消痰，让喉咙清爽。

足三里
丰隆

公孙　　足阳明胃经

开1横指。此穴功用太多，这里捡几个常用的说说吧。足三里为胃经
的合穴属土，为土经土穴，是治疗各种胃病的首选。若能同时配上中
脘穴拔罐，再点揉脾经公孙穴，会有即时缓解胃病之效。慢性胃病可
在足三里刺血拔罐（找专业针灸医师），效果更加显著。足三里也是个
"消气穴"，但与太冲消的"肝胆怒气"不同，足三里消的是胃肠的浊
气。有许多人整天肚子都是胀胀的，那就常揉揉足三里吧。对糖尿病
患者来说，刺激足三里可以降低血糖。对胃下垂的患者，足三里也有
升提之效。另外，肌肉萎缩、痛风、高血脂、醉酒等等，都是它的适
应症，当您操作时记住几个要点就行了：第一，足三里为强壮穴，能
增强体质，所以对所有疾病都会有效；第二，足三里是胃经的合土穴，

通治一切与肠胃有关的病症；第三，中老年人艾灸足三里，疗效往往更佳（小儿不灸此穴）。

再说个丰隆穴吧，此穴疗效显著，是我最喜欢的穴位之一。我把它叫做"化痰穴"，凡是嗓子有痰咳不出的，点按此穴，当时就会喉咙清爽。只是此穴位置不太好找，在小腿前外侧，外踝尖上 8 寸，胫骨外侧 2 横指。丰隆，就是丰满隆起的意思，所以此穴肉厚而硬，点揉时可用按摩棒，或用食指节重按才行。找穴要耐心些，可在经穴四周上下左右点按试探，取最敏感的点就对了。当您有痰吐不出的时候，丰隆穴会变得比平时敏感许多，自己就会浮出水面，不用担心找不到。

胃经是多气多血之经，也是我们获得后天营养的主干道。它上行头面，令我们脸色红润，下行膝足，让我们步履矫健，激活这条能量的供给线，让它时时保持充足旺盛，那样，我们就可以永远昂首挺胸，精力无穷。

11. 主治各类咳嗽的肺经

> 　　当疾病来临的时候，我们多掌握了一个要穴，便多了一份自信和勇气，而这份自信和勇气更让我们在疾病面前占尽先机。如果心中早有应对之策，谁还会惧怕疾病呢？凡事"预则立，不预则废"，早点防患于未然，便不会疲于应对和补救，我们也就会时时淡定从容。

　　咳嗽是日常生活中最常见的症状之一，有时还经久不愈，让人烦恼不已。因为咳嗽不单源于肺，"五脏六腑皆令人咳"，常常难除病根，所以有"医不治喘"之说。咳嗽本身并非坏事，它是身体的一种自然保护反应。通过咳，排出肺中痰浊，以宣畅气机；但久咳伤肺，会破坏肺脏的正常生理结构。这时，我们需要及时去修补受损的肺脏，而刺激肺经就是最便捷的方法。

　　肺经的穴位不多，左右两侧各 11 个穴位，经脉从胸走手，起于中府，止于少商。但这些穴位都善治咳嗽，所以咱们就多说几个。

　　先说云门穴，中线任脉旁开 6 寸，锁骨下缘处。两手叉腰时，此处会有一个三角窝。云门穴止咳平喘效果很好，还善治肩臂痛麻，颈淋巴节炎等。

　　中府，在云门下 1 寸，为治疗支气管炎及哮喘的要穴，又是肺脾两经的会穴，所以同时可以治疗脾虚腹胀、气逆痰多、食欲不振诸症。若与后背肺俞穴同时点按，可有即时止咳之效。

　　天府，在腋下 3 寸，此穴可以用一种特殊的方法来找到。两臂张开，掌心相对平伸，在鼻尖上涂上一点墨水，用鼻尖点臂上，点到处就是此穴。此穴最大的效用，就是善治鼻炎，不论过敏性鼻炎，还是慢性鼻炎，经常按摩此穴，鼻塞流涕、不辨气味的症状都会明显改善。

云门穴治疗咳嗽、肩臂痛麻、颈淋巴节炎效果好。中府是治疗支气管炎及哮喘的要穴。天府善治鼻炎。尺泽治热性咳嗽、咽喉炎和扁桃体炎有特效。孔最可治耳痛、耳鸣、鼻塞等。太渊可治一切肺虚之症。鱼际清肺热，利咽喉，善治哮喘。

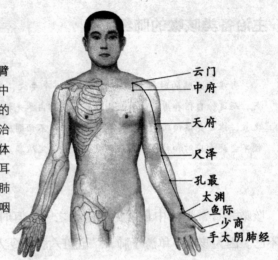

云门
中府
天府
尺泽
孔最
太渊
鱼际
少商
手太阴肺经

尺泽（合水穴），在肘横纹挠侧凹陷中，此穴作用极多，且疗效迅速，诸位一定要多加用心。本穴善清肺热，不但治热性咳嗽，还对咽喉炎和扁桃体炎有特效。尺泽为肺经合穴，"合治逆气而泄"，所以此穴不但是治疗气喘要穴，对因饮食不洁引起的吐泻之症也有卓效。另外此穴还有治疗鼻衄、遗尿、腰扭伤、高血压等诸般功用。

孔最："孔"为孔窍，"最"为第一。此穴有统领人体诸窍之义。凡窍之病，皆可用此穴调治，如耳痛、耳鸣、鼻塞、鼻衄。此穴还是治疗痔疮的要穴。另外，孔最还善调毛孔的开合，"为热病汗不出"之第一要穴。孔最为肺经郄穴，郄治急症，所以此穴也可治急性咽炎、咳嗽、扁桃体炎。

太渊（俞土穴）：土生金，此穴为肺经母穴。"虚则补其母"，所以此穴可治一切肺虚之症，对虚寒咳嗽、脾虚咳嗽，特别是表现为咳声无力、遇寒即咳、口吐清稀白痰者，最为对症。太渊还是脉之总会，可治疗各种心脏虚弱病症及各种与动静脉有关之症。

最后说一个鱼际穴，在大拇指下肉肚最高点。此穴为肺经荥穴，"荥主身热"，所以本穴清肺热，利咽喉，滋阴凉血，适合热症，对咽喉疼痛、咳嗽痰少者效果最好。鱼际还是治疗哮喘的要穴，经常按压此穴，对哮喘有很好的预防功效。鱼际穴在《幼科推拿秘书》中叫"板门穴"，每次点揉5分钟，专治小儿消化不良。

此外从太渊穴到孔最穴之间，这一段为"止咳点"，大家在咳嗽时，可以找此处最敏感的地方多揉一揉，症状马上就会减轻。

当疾病来临的时候，我们多掌握了一个要穴，便多了一份自信和勇气。而这份自信和勇气更让我们在疾病面前占尽先机。如果心中早有应对之策，谁还会惧怕疾病呢？凡事"预则立，不预则废"，早点防患于未然，便不会疲于应对和补救，我们也就会时时淡定从容。

12. 被忽视的大肠经——值得敬重的人体血液清道夫

> 一个团体总有被忽视的成员，他们总是在那里默默无闻地工作，很少有出头露面的机会。大肠经就是这样一个无名英雄，好像没有什么广大而显赫的功效，但有些特殊的疾病，真得它亲自出马才行。

一个团体总有被忽视的成员，他们总是在那里默默无闻地工作，很少有出头露面的机会。看起来他们似乎无足轻重，位卑言轻，但他们的作用，却是不可或缺，有时甚至是无可替代。大肠经就是这样一个无名英雄，好像没有什么广大而显赫的功效，但有些特殊的疾病，真得它亲自出马才行。

皮肤病可以说是最让人心烦意乱的疾病了，荨麻疹、神经性皮炎、日光性皮炎、牛皮癣、疥疮、丹毒、疖肿、皮肤瘙痒症……都让人痛苦不堪。在百治无效之际，取大肠经刮痧，通常都会得到不同程度的缓解。大肠经为多气多血之经，阳气最盛，用刮痧和刺络的方法，最善祛体内热毒。若平日常常敲打，可清洁血液通道，预防青春痘。大肠经对现代医学所讲的淋巴系统有自然保护功能，经常刺激可增强人体免疫力，防止淋巴结核病的生成。下面说说这条经络里面的几位"隐士高人"。

三间（俞木穴），位于食指近拇指侧根部，第二掌指关节后。此穴最大的特点就是穴位好找，按摩方便，随时都可以操作。三间穴，最善通经行气，上可通达头面，治疗三叉神经痛、齿痛、目痛、喉肿痛和肩膀痛；下能通腹行气，泻泄可止，便秘可通。另外，有研究指出此穴有消炎、止痛、抗过敏的功效。三间可作为日常的保健穴，常揉多按。本人常用大拇指内侧指节横向硌揉此穴，效果甚佳。

　　阳溪穴（经火穴），翘起拇指，拇指根与背腕之间有一凹陷，凹陷处即为此穴。此穴最善缓解头痛及眼痛酸胀，但若用按摩法，一定要闭目，掐按一分钟，才能有效。此穴名为阳溪，是指阳气像溪水般周流不止，所以此穴最善通经活络，经常按摩，并配合金鸡独立，可以有效防止脑中风和高烧不退等症。

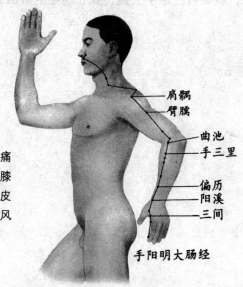

　　阳溪穴最善缓解头痛及眼痛酸胀；手三里善治胃肠痛、腰膝痛、能消肿止痛；曲池通治各种皮肤病；偏历善消水肿；肩髃最散风寒；臂臑能除眼病。

肩髃
臂臑
曲池
手三里
偏历
阳溪
三间
手阳明大肠经

　　手三里，曲肘取穴，在肘横纹头下2寸。提起足三里，向来声名显赫，而手三里却默默无闻，其实经络歌诀中"肚腹三里留"，这个三里，也包括手三里在内的。此穴也善治胃肠病，与足三里并用，效果更佳。此穴还善治腰膝痛，不论是急性慢性，都可点按此穴，可即时缓解症状。手三里善消肿止痛，对于头面肿、牙龈肿、肩臂肿都有疗效。此外手三里还是治疗鼻炎的要穴。手三里可增强体质，是人体的强壮穴，所以平日也可多揉以健身。

大肠经似乎每个穴都有其独特的杀手锏，曲池是治痒奇侠，通治各种皮肤病，还能降血压；偏历善消水肿；肩髃最散风寒；臂臑能除眼疾，常点揉此穴可预防白内障，还能治疗麦粒肿。

不被重视的经络也依然是光彩夺目，看来这世间没有什么能隐藏的宝贝，我只是草草地选了几个，匆匆地向大家展示了一下。您若觉得好，就要自己亲手去挑，找您想要的带回去。

13. 强壮膀胱经——我们的身体可以固若金汤

> 如果我们不是被自己的不良情绪与生活习惯打倒，那么任何外界的疾病也别想战胜我们。膀胱经就是我们抵挡外来风邪侵入的屏障，我们只要经常加固它，把住几处保命的要塞关口，那我们还有什么可怕的呢？

前两天，高中同学顺子突然因心肌梗塞而去世。顺子是我们班最英俊的男生，今年才 39 岁，年初同学聚会的时候我还碰到过他，当时还一起搂肩谈笑，没想到，转眼间竟阴阳两界了。我从电话里听到这个消息的时候，CD 机里正唱着"后街男孩"的 *Don't wanna lose you now*（我现在不想失去你），顿时我的眼泪夺眶而出：顺子，难道这就是给你送行的曲子吗？

当我将这消息告诉老婆时，她也叹息不止，并严厉告诫我，以后不许再熬夜了。我说没关系的，我知道怎么保养自己。其实，我也是给自己和老婆一粒宽心丸罢了。谁不是血肉之躯呢？人的生命只在呼吸之间，谁又知道明天会怎样？

我对自己的身体从不担心，因为我知道人体有一个"马其诺防线"，固若金汤，那就是我们的膀胱经。有人说，马其诺防线不是没放一枪一炮就被攻破了吗？有什么坚固可言呢？是呀，您说得对，它是那么的不堪一击，但它不会被来自外面的进攻所攻破，而是从里面被瓦解的。我们的身体也是一样，如果我们不是被自己的不良情绪与生活习惯打倒，那么任何外界的疾病也别想战胜我们。膀胱经就是我们抵挡外来风邪侵入的屏障，我们只要经常加固它，把住几处保命的要塞关口，那我们还有什么可怕的呢？

膀胱经从头走到足，起穴为眼内眦的睛明穴，止穴为足外小趾处

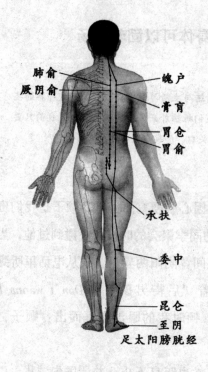

晴明穴

肺俞
厥阴俞

魄户
膏肓
胃仓
胃俞

承扶

委中

昆仑
至阴
足太阳膀胱经

膀胱经就是我们抵挡外来风邪侵入的屏障。刺激胃俞和胃仓穴可迅速缓解胃痛；厥阴俞和膏肓穴配伍，可防治心血管疾病；刺激肺俞和魄户穴止咳效果好。经常敲打承扶到委中部位，利于体内湿毒排出；昆仑穴可治头痛，腰痛等。

的至阴穴，从头到脚，贯穿整个后背，左右各 67 个穴位把守着我们的身体，是人体中投入兵力最多的经络。可是防御体系再坚固，也架不住我们对自己身体的恣意挥霍。若您总是在透支，总是在消耗，而不去保养，那样即使是钢铁也要生锈，即使是水泥也要断裂。

膀胱经穴位那么多，我们要记住哪些呢？这个您大可不必烦恼，我们只要记住几个大穴就足够了。然后您再找一两个与自己关系密切的，着重关注一下就可以了。

膀胱经有许多俞穴，非常重要，如肺俞、肝俞、肾俞等。俞就是通道的意思，俞穴可以直接与相关的脏腑相通。如果胃痛，只要在后背胃俞点按一下，疼痛马上就可以缓解。如果觉得心血管有问题，那就多关注一下厥阴俞。膀胱经在脊椎左右各两条，一条在脊椎旁开 1.5

寸，一条旁开3寸，这两条同样重要。当我们咳嗽时，我们除了要点按肺俞，还要把它旁边的魄户穴也同时点按了，这样止咳的效果才最佳；同样，胃痛除了点按胃俞，也要把胃仓穴一道按了才好；所以心血管的问题，除了要关注厥阴俞，更要关注它旁边的膏肓穴。古人也把严重的冠心病叫做"病人膏肓"，所以还是早点防治为好。其实，当我们的心血管有了问题的时候，通常厥阴俞和膏肓穴这两个地方就会经常疼痛或感觉沉重，身体是会提前给您发出信号的。这时您就要多加关注了。您也许会问，你光让我关注有什么用，我得治疗才行呀。那是当然了，早期轻浅的问题，拔拔罐，刮刮痧，按摩几下就会好；虚寒体质的，用艾灸更佳。如果情况没有改善，还是要及早去医院检查才是明智之举。

膀胱经的穴位因为都在背后，自己不好寻找和操作，所以不用记得太多，经常敲打臀部和大腿后侧（承扶穴到委中穴）就是最好的膀胱经锻炼法，最有利于排出体内湿毒。有的人臀部及腿后侧极为僵硬，更需要经常敲打，敲得松软、有弹性就可以了。

膀胱经的委中穴，就在膝后窝正中，最好找，这是治疗腰背痛的要穴。昆仑穴在脚后跟外踝骨后凹陷中，这个穴很深，要把指甲剪平用力掐才行，可以治头痛、腰痛、足跟痛。因为点按昆仑穴有催产之功，所以孕妇禁用。此穴还能降血压，您做"金鸡独立"时，可以在两脚的昆仑穴同时拔上小罐，降压效果最佳。拔罐若总是拔不住，则说明气血下行不足，可用些软膏将昆仑穴附近涂抹后再拔。当逐渐越拔越有力时，血压也会稳定地降下来了。

膀胱经就说到这里，其实方法不用太多，一招好用就行。

第七章

每个人都将是
解救自己的观音

　　我们的身体和心灵已经生锈多久了？要想脱胎换骨，就请用自己的手
在身体上耕耘，让心灵五谷丰登。一旦能听懂身体发出的声音，那么每个
人都将是解救自己的观音。

1. 唯"我"独尊——每个人都是解救自己的观音

> 打嗝，放屁，这可是老天赐给我们排除毒素的两件宝贝。
>
> 一旦能听懂自己身体发出的声音，那么每个人都将是解救自己的观音。

2007 年 3 月，西安《华商报》一直在连载我的《求医不如求己》。据说，每天收到读者向我咨询健康问题的短信有几百条，后来报社随机选了 1000 条发给我，请我尽量多回复一些。《华商报》的编辑说："读者都是那么恳切，不忍心落下任何一条。"我看着这 1000 条短信，洋洋 7 万多字，真是百感交集，感觉自己像是一只蚂蚁，却背着一座大山。

我用了五个半小时，将所有短信一口气看完，觉得其中有 80% 的问题，大家都可以自己解决，只是大家面对纷繁杂乱的症状不知如何应对。其实，只要把问题搞清，答案就在其中了。

当时，我应《华商报》之邀，去古城西安举行了一次健康讲座。来时准备的近两万字的讲稿，几乎没用上。我本来是想讲些健康理念的，但读者的实际问题太多，都亟待解决，正是：远水难解近渴，饥时莫奉香茶。

更有坐飞机从别的省市赶来的听众，有的是为父母，有的是为孩子，都是急切地想让我当面解答他们的问题，看到他们被工作人员拦在外面那副痛苦无奈的样子，我心里非常沉重。

演讲时，我尽量谈一些最好使、最快捷、最有效的招数，也不知大家听懂了没有，后来看着时间很紧了，还要赶飞机回京，就更加快了语速，尽量想让大家多掌握一些招式。但我想，我这次讲座是失败的，因为我的心态就不是平和的，而是焦急不安的，这样怎么能给听众们传递镇定自若的感觉呢？没有让大家意识到"求医不如求己"，没有激起大家的自信，大家只是学了那么几招几式，却并没有真正减弱对疾病的恐惧。是啊，有时即使是望梅止渴，也仍然可以让大家走出困境。而我却只是将随身带来的一小壶水，分给众多口渴的人们。有人或许喝到了一口，更多的只是润湿了一点嘴唇罢了。

讲座后的10分钟，报社的朋友们给我找了个很安静的房间，让我休息，禁止别人打扰，可他们刚一走，便有一个40多岁的女士，不知从哪里钻了出来，她拉着我的手，非要我给她把脉。我摸了摸脉，说："您的脉强壮有力，气很足，没什么大问题呀。"她说："是呀，去医院化验也说我一切正常，我吃得好，睡得香，二便也非常通畅。可就是有一样，每个月都要头痛一两次，痛起来，简直想去撞墙，吃止痛片也不管用，许多年了，就是查不出原因。您给我说说吧，求您了。"

我问她："那您都是在什么时候疼痛呀，有没有什么诱因呢？"她说："也说不好，只是每次和家里人开车出去玩，回来多半是会痛的，对了，我还有晕车的毛病，每次坐车出去，我总是会晕车，甚至呕吐，所以我平常都是走路去上班。"

我用手拨动了一下她两腿的阳陵泉，疼痛剧烈，但没有电麻感窜到脚上去。我说："其实您已经找到了问题的原因，只是您没去仔细思考罢了。您看，每次晕车后，您都会头痛，看来晕车就是您的病因，那您为什么会晕车呢？晕车的原因通常有三：心下有水气，叫做'水气凌心'，会眩晕恶心；胃肠有积食，叫做'宿食阻膈'，会恶心呕吐；气不下行而上逆，叫做'浊气熏蒸'，也会令您头晕欲呕。"

我又说："您小便通利，心下就不会有太多积水；您食欲好，大便顺畅，胃肠也一定不会有宿食积滞，而您的胆经阳陵泉堵塞，肝的

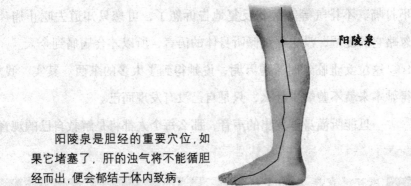

阳陵泉

阳陵泉是胆经的重要穴位,如果它堵塞了,肝的浊气将不能循胆经而出,便会郁结于体内致病。

浊气不能循胆经而出,必会结于心下两肋处。当闻到不良味道,或感于汽车的颠簸,或通风不好时,都会诱发浊气冲撞胃脘,产生恶心呕吐之症,但浊气经过这样的冲撞,便会循经络上行于头,循胃经则上于前额,循胆经则痛于两侧,但症状都是一样的,都是胀痛,感到血管强劲的搏动。这就是浊气在作怪,它想冲出来,却无路可走。其实,此刻只要在它冲撞的经络上,点刺放血,给浊气以通路,便马上痛消于顷刻,无影无踪,因为不过是一股浊气罢了。浊气乃无形之物,用CT、用核磁,怎么可能捕捉得到呢?结果自然是'一切正常'。"

我问她是否平日很少打嗝或放屁,她说,她从来都不打嗝,也不放屁。她还常在人前以此为自豪呢!我说:"这可是老天赐给我们排除毒素的两件宝贝呀!"

我让她每天早晚做推腹法,攥空拳常敲胃脘部,争取打嗝,还要多敲打胆经,多拨动阳陵泉。只要她一找到打嗝或放屁的感觉,那么困扰她多年的顽疾也就会渐渐痊愈了。

听我这么一说,她高兴得直拍手跺脚:"没想到会是这么简单!"我说:"其实您身体出现的所有问题,身体早就以晕车、恶心、头痛、不打嗝、不排气等等症状反复地告诉您了，可您只知道去吃止痛片，忽略它的提醒，没去仔细倾听身体的语言，所以才会病痛到今天。"

这位女士临走时千恩万谢，说她得到了太多的东西。其实，我觉得她本来就不曾缺少什么，只是自己没有发现而已。

一旦能听懂身体发出的声音，那么每个人都将是解救自己的观音。

感悟《求医不如求己》

深深海洋：

我今年23岁，2005年11月份月经来的时候，忽然腰胀得难以忍受。从那以后，只要吃饱饭就会腰胀，大小便之前也会腰胀，而且无法集中精力思考问题，还不能久坐。如果是硬凳子的话，只坐几分钟就会腰胀，不得不起来走动。后来我吃了中药，坐的时间比以前长了很久，但还是没精力想问题，饭后及大小便之前也还是会腰胀，但一直无法弯腰，总觉得腰部没有力气，承受不了，而且总是没精打采的，总想睡觉。我想让自己多笑笑，可是一笑就干呕。我去医院检查，医生却说没有问题，我想我是气血不畅。还有，我小时候头部受过好几次伤，流了好多血，所以从小经常头晕、头痛，头发也是枯黄的，现在最重要的是我的记忆力减退了很多，可我还这么年轻啊！

但这个问题我现在自己解决了，这纯属偶然。我本来只知道按太冲和行间穴可以补气血，就按了，可按时没有感觉，所以我就使劲按太冲穴，这穴位还真的被我按痛了。痛的同时，腰也胀得难受，我就坚持了几分钟，结果这腰胀的毛病就好了。没想到我吃了那么多的药都没用，现在却只用几分钟就好了，真的好高兴！

中里巴人：

非常感谢"深深海洋"的回馈，这种亲身体验得到的经验非常宝贵。有胀的感觉通常就是有浊气作怪。而太冲正是消气穴，所以效果显著。月经时出现的症状多与肝胆有关。所以这时调节肝胆经，是很正确的。如果是肠胃产生的浊气，症状为胃脘胀，那就要揉胃经的足三里了。所以说，太冲、阳陵泉可消肝胆的浊气，而足三里和公孙可消肠胃的浊气。

2. 孩子是上天派来祛除我们心病的灵丹

> 这小姑娘的海豚音，还有那纤柔而又有力的小手，那咿呀的动人妙语，那清纯如水的目光，哪一种不是上天派来祛除我们心病的灵丹呢！

近日心绪不佳，昨天被几个好友邀去酒楼吃饭，也是想顺便散散心。

这家酒楼很大，能容纳几百人同时就餐，大厅里灯火通明，菜肴飘香，人们把酒言欢，觥筹交错，笑语喧哗之声不绝于耳。我不太喜欢这种热闹的场合，但也仍是面带微笑，听着朋友们眉飞色舞地讲着那些不太可笑的笑话，喝着那不酸不甜的葡萄酒，心里则是一种百无聊赖的感觉。

忽然，一阵"呀呀"声掠过整个餐厅，那是一种令人震撼心动的海豚音，像长着翅膀似的，一千多平米的餐厅顿时鸦雀无声。大家循声望去，只见离我们座位六七米远的一张不大的圆桌旁，一个粉雕玉琢的小小孩，正在她爷爷的腿上欢快地跳跃着，还不时地从小嘴里发出一声声短促的尖鸣，所有就餐的客人都不约而同地发出了惊叹。片刻寂静后，餐厅里又恢复了喧闹和嘈杂。但这"一鸣惊人"的小家伙却深深地吸引了我，我拿着朋友刚刚送给我的一个精致的玩具小猪，来到这个小宝宝的餐桌前。这是个漂亮的小姑娘，听说还不到一岁，此时正吃着小手，并吐着泡泡。我向她的家人表示了我的惊讶和喜爱，并送上我的礼物——会说话的小猪。小姑娘接过我的小猪，随手就扔进了餐桌上热气腾腾的锅仔里面，一脸的不屑。不过还算是很给我面子，伸出双手主动叫我抱呢！我受宠若惊，赶紧将"小天使"小心翼翼地抱在怀里。她的眼睛大大的，一眨不眨，好奇地看着我的脸，那目光就像是清澈见底的泉水，我的内心瞬间像是被清洗了一般，郁闷的感觉一扫而光。小宝宝用手摸摸我的鼻子，又拍拍我的头，发出美妙的"咿呀"声，像是在和我说话，我也赶忙"噢噢"地应和着她，生怕让她觉得我听不懂。她突然抓住我的耳朵不放，边噘着小嘴，边使劲地拽着，似乎是嫌我没听懂她的话，惹得满桌的人哄堂大笑，我连忙求饶："小宝贝儿，轻点好吗？"小家伙咯咯一笑，倏地松开手，马上投入她妈妈的怀抱里，不再理我了。

这真是一次不同寻常的经历，竟让我有一种被老师"耳提面命"进而"醍醐灌顶"的感觉，我的耳朵发热，周身百脉俱通，心情畅快无比。

这小姑娘的海豚音，那纤柔而又有力的小手，那咿呀的动人妙语，那清纯如水的目光，哪一种不是上天派来祛除我们心病的灵丹呢？

■ 感悟《求医不如求己》

yangxin_chen：

　　我8天前才当了叔叔。小侄女的每一次眨眼，每一声啼哭，每一次吮手指，都会让人瞬间回到童稚时光。把她抱在怀中，才知道什么叫小心翼翼，什么叫喜悦。在小小的孩童面前，我的眼光也变得充满童真，原本复杂的内心也变得纯净。怪不得老子说："能婴儿乎？"

鱼腥草：

　　孩子没有天生的劣根性，他们是自然而又纯净的，我们的传统观念里认为，孩子在某些阶段的自私，其实是他们成长过程中的心理需求造成的，比如小孩子在1岁左右都有追求完美的心理需求，所以他们会要求他的苹果或面包都是完整的或者是最大、最好看的，即使大人认为他们吃不完。

如云：

我也有一个6岁的儿子，夫妻二人从小带大，那真的是我成长最快的6年，慢慢地学会包容与忍耐，也知道了为人父母的不容易，有时候我觉得与其说孩子需要父母，不如说父母更需要孩子，带孩子很辛苦，但更多的是感悟，让我体验到人生中无需回报的付出。感谢儿子！

敏珠林：

当宝宝用那样清澈的眼神望向你，"呀呀"地笑着张开胖乎乎的小手扑向你，那小小的、软软的、暖暖的身子全然依赖地靠向你时，什么烦恼都烟消云散了。有多少父母为了这一扑，平添无限力量，咬紧牙关，度过危机。父母养育了儿女，可有时候，儿女也成就了父母。这是支撑我们在这世间走下去的最强大的能量、爱以及希望。

3. 伤感时伤感，愤怒时愤怒，多顺水推舟，少逆流而上
——使生命真实才能获得自然神力

> 冬天我愿伴着寒风而瑟缩，春天我愿随着柳枝而舒展。顺着自然呼吸，必然得到自然的神力。

　　"终于又等到了，每次看都不忍心看完，看完后又期待着下一篇"，这段话是一位匿名的网友给我上一篇文章写的评论。这句简单的评论，着实让我感动了很久，以至，我要把它珍藏在心里。其实，我的文章原本就是献给这些朋友的。如果您真心喜欢，那就是对我最好的褒奖。我要把最好的东西献给那些偏爱我的人，生活中，我只和欣赏我的人在一起，我只看那些能让我有共鸣的书，我只听那些能打动我的音乐。

　　有人说，"郑老师菩萨心肠"，我听到这话，心中只有负担和压力，没有甜美和温暖。因为我愿意在伤感时伤感，在愤怒时愤怒。我的境界还没有升华到大慈大悲的高度。我鄙视假殷勤，我厌恶假慈悲。

　　有人问孔子："可以用恩德来报答对你有仇怨的人吗？"孔子反问道："如果用恩德来报答仇怨，那用什么来报答恩德呢？"

　　有人会问："你的博客不是为了弘扬中医文化？不是为了造福大众吗？"我说："那只是您的期望，却不是我的初衷。我只做我胜任的工作，我只为知音而辛劳，我喜欢顺水推舟，而不是逆流而上。"

　　有人问我："你怎么不爱竞争？"我说："你看人都挤得满满的，哪里还有我的位置。大路虽宽，万马同竞，不如小路，一人独行。"

　　其实，我写文章真正想传达给大家的不是方法而是理念，不是理念而是感情，不是感情而是力量。当大家看到我的文字，心里淡定坦

然的时候，这种力量已经注入，一切治疗的大门自然打开，那些具体的治疗方法，只是一些临时的船桨，如果大家找到了渡河的小船，还怕没有桨不成，您或许还嫌我提供的桨粗糙呢!

因为一个评论而引出了我的一些感慨，只愿朋友们都能表达真实的情感，真实才感人，真实才最有力量。冬天我愿伴着寒风而瑟缩，春天我愿随着柳枝而舒展。顺着自然呼吸，必然得到自然的神力。

■ 感悟《求医不如求己》

甲乙木丙丁火：

好一叶轻舟，好一支粗桨!《坛经》曰：迷时师度，悟了自度，度名虽一，用处不同。

jmce6159：

先生传播的不仅是中医精髓、中医理念，还授人以哲学的人生观。读先生此文，感受的是一派王者之气。其实神力未必在蓝色天穹，而是始终来自人间万千气象之中。

4. 身体须全面打开才有大喜悦

> 我们的身体和心灵已经生锈多久了？要想脱胎换骨，就请用自己的手
> 在身体上耕耘，让心灵五谷丰登。

很多朋友给我发来长长的私信，罗列出一大串身体上的毛病，请求我给出十招八式，来一一对付其变化无常的症状，言语中透着悲凉和无奈。如果我身临其境，马上能体会到"暗无天日"这句成语的含义。

很多长期被疾病困扰的朋友，心中充满了恐惧和卑微的思想，仅满足于蜷缩在阴冷的小屋，搓手跺脚以求得些许的温暖，却没有勇气走到外面来感受阳光。也许担心阳光太刺眼，也许觉得太阳的温暖离自己很遥远，可是如果您想融化心底的寒冰，如果您想要脱胎换骨，那就必须从黑暗的小屋走出来，让阳光直接穿透胸膛，点燃内心曾经潮湿的火药。心中的炉火一旦点燃，我们将能自行调节阀门，或让其激情四射，或让其温暖如春，那全是您自己的身心，您自己的四季。

■ 感悟《求医不如求己》

wping_xzd：

区区几字，如同寒冬里的一把火，温暖人心。路在脚下，没有谁能够代替你走完属于你自己的人生旅途。不缺能力，仅仅少了一点自信心。中里老师在鼓励大家，建立你的自信心，命运在你手中。

王一力：

前天看书时不知不觉和衣睡着了，没有盖被，冷醒之时，咽喉右部疼痛不能咽，心知又着凉了，平日着凉不怕流涕，就怕咽

喉痛，前者很快就好，后者非要折腾到咳嗽、化脓，吃药一两周方愈。

想到老师文章中有关肺经的论述，于是卷起袖子，抡起空拳将左右两条肺经各敲81下，大概10分钟的光景，经络发热发痒，咽部疼痛之感顿感减轻。

后用父亲曾授我的"玉环桩"（音译），现在看来就是用手摩膀胱经，由背后往下，经脚腕转摩肝经的原理。这样摩个百来下，汗微出，后背寒凉感渐去。

就做了一回，第二天，咽喉竟不药而愈，因而深信老师所说，身体是最好的医生。"心中的炉火一旦点燃，我们将能自行调节阀门，或让其激情四射，或让其温暖如春，那全是您自己的身心，您自己的四季。"感谢老师将这宝贵的法门授予我们。

米堆：

想到自己当初得知重病后的恐慌，现在仍是心有余悸，自己跑到海边想了很久，最后才决定告诉家人的。因为害怕的并不是生病本身，而是身边关爱你的人的担心。

随后的则是各式各样的治疗，但我的心态一直仍是无法调节过来，所以疾病也没好转多少。直到有一天，一位老中医跟我说："人生来就是要跟各种各样的疾病作斗争的，从一出生开始就被赋予了这种使命。只是今天是你得了这个病而已，而别人可能正在与其他疾病抗争。"于是我的心情也顿时开朗了起来，有种拨云见日的感觉，回去便对那些担心我的人用一种没什么大不了的语气说：人生来本来就是要跟病魔作斗争的，明天我就会好了的，你们没必要吓成那样的。

果然，治疗的效果变得很好，恢复得也很好。

看来，人的心态真的很重要。

5. 同气相求，心安身健

> 我平日最不爱做的一件事情，就是向别人去解释，我出于本心去做，也许别人会理解，也许会误解，那都与我无关。别人的思想，谁又能揣测清楚呢？我不想去讨朋友高兴，如果是真正的朋友，那在开口之前，自然不必思前想后，如履薄冰。如果言不由衷，话不投机，那又何必去担朋友的虚名，不如尽早远离的好。

半个多月以前，我的好友人数达到了 500 人，可每天要加我为好友的朋友还是很多，我虽然对所有朋友一律点击"同意"，但系统会提醒："您的好友已经超过 500 个，不能增加好友了！"朋友哪儿还有嫌多的，尤其是主动想把我当做朋友的，那更是同气相求的知音，我怎会拒绝呢？本以为，网友们会理解，这是系统的问题，绝不是我在故作清高，拒人门外。可系统也在和我开玩笑，把我的朋友人数增加到 513 人，也就是偶尔还会增加一个。这一来，有的网友就向我提出质疑了："老师的好友一天天增加，都 513 了，比昨天还多了一位，可还是不肯加我，5555 只能说伤心……其实加了老师也不代表什么，那么多好友您哪里聊得过来呢，一人一句，呵呵，估计您连睡觉时间也没有了，其实只是一种信念而已，看了老师的文章，感觉很受启发，很有心得。我的人生需要很好地调整，要想生活得轻松愉快些，调理好身体是第一步，老师的文章给我指路，就是被老师拒之门外感觉伤心，呵呵，开个玩笑哦，虽然真的也是失望得很。祝您一切好！"

我平日最不爱做的一件事情，就是向别人去解释。我出于本心去做，也许别人会理解，也许会误解，那都与我无关。别人的思想，谁又能揣测清楚呢？我不想去讨朋友高兴。如果是真正的朋友，那在开口之前，自然不必思前想后，如履薄冰。如果言不由衷，话不投机，那又何必去担朋友的虚名，不如尽早远离的好。

我首先为这位朋友的大度宽容所感动，并向您表示由衷的歉意，我能体会到被人拒绝和冷落的感觉，那最让人不堪忍受。本来喜欢或尊重一个人，却遭到对方的轻视，连带着把自己原有的一点自尊也伤害了，真让人受不了，换到我，我准会拂袖而去。

朋友之间，是可以传递感情，传递智慧，传递力量的，我写文章的本意也是想让我们彼此的心灵能够相互感应。所以，那些希望把我加为好友的朋友们，我也同样求之不得，愿意把大家当做知己，倍加珍惜。

■ 感悟《求医不如求己》

杨树的眼睛：

把朋友放在心里，需要的时候我会竭尽所能，但不是时刻的关怀，否则即使是情人，有一天也会厌倦，把朋友放在心里，偶尔想起，或者被想起，就是一种幸福，把朋友放在心里，如果没有接到你的求助电话，我就知道你过得很好！

6. 幸福的真经——必是"求医不如求自己"

> 我不会因朋友的希冀而改变初衷，不会因病弱的哀求而将其勉强背负。纵使骂声四起，门庭冷落，我也依然如此。我只愿奉献一杯清茶，而那也是留给知音的。曲终人散，仍坐在角落里看着你的人，才是我的朋友。

近来屡遭人骂，想来甚为有趣，因为骂我的人都是以往与我关系不错的朋友。都是《求医不如求己》这本书惹的祸，真是"门前生瑞草，好事不如无"。其实，这些朋友对我一向厚爱，推崇备至，新书一出，便争相大量购买，广送朋友，为我大做宣传。但随后，我便电话不断，每天，大家都以朋友、哥们儿、知己的身份，代他们的朋友向我求助，请我一定要给他们这个面子，帮忙诊治一下。开始，我碍于情面，难以推托；后来由于每日应接不暇，我自己的事情陷入全面瘫痪。无奈之中，我只好把手机一关，一概置之不理了。于是朋友们由称赞变成嗔怒，最终恨恨不已。这或许就是"爱深责切"吧。

近几日外出，博客由一位好友代为看管，偶尔也替我回答一些问题。昨日一回家，朋友便打来电话，说我的博客上怨声四起，私信里也骂声阵阵，好不热闹。我急忙打开博客一看，果真如此，不禁哑然失笑。起因也都是因为有问不答，跪求无果招致的。患者病急心切，求治无路，寄望于此又每每落空，肯定会将一腔怨怒倾泻于此。我虽觉是无妄之灾，权且代为受之吧！远初道人说得好："人情世态倏忽万端，不必认得太真，爱恨恩仇总相结伴，随它缘聚缘散。"

昨天，看评论上 QQ 群已经建立，人数过百，而且朋友们再三敦促我加入。虽深知自己也无闲暇与网友交流，但面对如此盛情，再要推托，真是"敬酒不吃吃罚酒"了。

一到 QQ 群，便受到网友们的热烈欢迎，令我受宠若惊，诚惶诚恐。真是体会到了"相逢好似初相识"的感觉。

自己的博客，始终想把它办成"春来茶馆"，而自己则充当阿庆嫂的角色，奉上一杯清茶，听听朋友们畅谈各自的人生感悟，哪怕您说个俚言俗语，只要心有所感，那也是妙语真经。其实大家每天的感悟都很多，拿来一起分享，每个人都会受益良多，光听我一个人，一种腔调有什么意思呢？有人说，你哪来的闲情逸致，还要品茶，你没看到有那么多挣扎的病患吗？你没听到他们痛苦的呻吟吗？我听到了，我看到了，但我无能为力。我或许是一根救命稻草，但我禁不起众多信赖的大手；我或许强壮有力，但我也承担不了太多沉重的人生。每个人都有自己的命运，自己的机缘，自己的宝藏，各自去寻找吧，路就在脚下，但愿您能看到。

我不会因朋友的希冀而改变初衷，不会因病弱的哀求而将其勉强背负。纵使骂声四起，门庭冷落，我也依然如此。我只愿奉献一杯清茶，而那也是留给知音的。曲终人散，仍坐在角落里看着你的人，才是我的朋友。

■ 感悟《求医不如求己》

孤影立雪：

有一句话我非常喜欢："见高不低，见低不高。见智不愚，见愚不智。见富不穷，见穷不富。见老不青，见青不老。"老师亦如此！

月儿：

中里先生指引道："此路通向健康。"先生又不厌其烦地告诉我们：太阳帽在这里、防晒霜在这里、跑鞋和背包在这里。对我们而言，剩下的就是"求已"了，蹬上鞋、背上包、涂上防晒霜、戴上太阳帽，向健康之路迈出自己坚实的脚步。这条路是要您亲自走的，谁也替不了您。

听芷：

在您的博客中，细细品味字里行间那些只能用心去体会而看不到的东西。寻找养生良方的过程，同样也是感悟人生的过程。

hadhad1：

子日：岁寒，然后知松柏之后凋也。"郑老师慈悲心肠，苍天可鉴。

居士：

中里先生又不是菩萨。再说即使菩萨救苦救难，也只是外力，最终还是要依靠自己。

萧木木：

且不说世界上，只是一个中国，或者只是一个北京，被病痛折磨着但又求医无门的人有多少？可作为医生，真正以治病救人为目的的又有多少？人都要赚钱，都要生存，医生也一样，所以我们不能要求医生将治病救人作为他们工作的唯一目的。在这样的情况下，难道我们应该将拯救病痛的希望全部寄托在郑老师一个人身上？

郑老师的书给了我们很多治病养生的好方法。不用说老师的BLOG是可以免费看的，即使10倍的价格去买书，我也觉得太值了。在这个社会里，试问有几个人能将自己的知识和经验无私地奉献给所有的人？没有人有义务这么做，也极少人会这么做。

要治好所有病人是不可能的，要一一解答大家的疑难也不可能，所以我觉得郑老师的书就是他给大家最好的礼物。

7. 每个人都有上天施予的解药

> 我们身边的一草一木，都时时刻刻散发着动人的气息，但我们常常不为所动。我们身边的一石一沙，也处处昭示着生命的玄机，但我们依旧不以为然。
>
> 相信自己，我们每个人都是上天降下的独特个体，我们各怀绝技，无可替代。

节日的闲暇，真是惬意，让我已经透支的体力又重新恢复。前天上来看看博客，也比以往热闹许多，让我感到很欣喜。看来咱们的茶馆已经在不知不觉中正式开张了，气氛虽不像"老舍茶馆"那般雅致、幽静，有些凌乱和嘈杂，但这似乎更符合阿庆嫂"春来茶馆"的办店宗旨："垒起七星灶，铜壶煮三江。摆起八仙桌，招待十六方。"来的都是客人，大家可以畅所欲言，百无禁忌。

说出心里想说的话，不管是批判还是赞美，不管是怨怒还是偏爱，不管是困扰还是感悟。合逻辑的、非常理的、优雅的、粗俗的，在这里都不会受到限制。只要您的话发自本心，那就是金玉良言。

对我的批评，无论是善意还是恶意，对我的成长都很有帮助，让我能了解不同的理念，站在反对者的角度来体验感觉，及时修正自己的偏颇之处，但不会影响我的初衷、改变我的方向。

对我的赞扬，无论是真诚还是奉承，都让我体会到了不同层次的共鸣。同一首歌，不同的人演唱，感觉相差很大。但只要您唱时，觉得有趣，觉得好听，能够自得其乐，就是对我最好的褒奖。我们大家可以同唱一首歌，主旋律总是不会走调的，而且声势浩大，振奋人心。

其实，我更想听到的，是您自己独创的歌曲。"你方唱罢我登场，只为自己做嫁妆"。那将是何等有趣的场面呀！

很多人不相信自己心灵的力量，甚至不知自己还有心灵，脑子被一些现成的观念所充斥，被一些权威的理教所定型，被一些看似严密的逻辑所羁绊。生活的指南，从来不源于心灵，而是参照书本；说出的话语，从不发自心底，而是别人的滥调。

今天偶然看了中央 2 套播出的一个节目，一个 5 岁的男孩，每天都要挖开墙壁去吃里面的墙灰。不让他吃他就会头晕、恶心，浑身不适，而吃了就会舒服些。

大家似乎更关心他的病，如何医治？但我想让大家思考的是：小男孩是如何知道藏在墙壁里的灰土可以缓解他的症状呢？他没有灰土的化学成分的知识，没有长辈传授的经验。但他仍能"鬼使神差"地找到他病症的"解药"。

这就是心灵与外界的对话。我们身边的一草一木，都时时刻刻散发着动人的气息，但我们常常不为所动。我们身边的一石一沙，也处处昭示着生命的玄机，但我们依旧不以为然。生活是丰富的，是广阔无边的，岂是几本经典所能涵盖，岂是几个"权威"所能担当的？

其实您自己就是经典，您自己就是权威。伟人只是我们的朋友，不是我们的偶像。相信自己，我们每个人都是上天降下的独特个体，我们各怀绝技，无可替代。

活着就要做自己，说自己的话，语不惊人死不休！

■■ **感悟《求医不如求己》** ■■■■■■■■■■■■■■■

找个好心情：

我们其实一直不关心自己，对自己不好。我们最好的朋友是我们的身体，她一直支持着我们，我们无论给她什么吃的、喝的、穿的，她都会接受，消化和吸收，为我们提供能量，为我们保暖，我想我们的身体是很辛苦的，我们只知道享受舒服，没有想一下我们的身体能不能接受。身体表示不满，我们还要打针，吃药，真难为我们的身体了。

kyukyu：

　　相信自己，却是说来容易做来难，正如您所说的："其实是一层纸，但对很多人来讲，永远是一座山。"

8.无言得博雅，未名大欢喜——来自于北大的感动

> 来北大，让我深刻领略了"不言而教"的神奇与魅力，真心希望中医界有这样一个"不言而教"的领地，带着您走向中医文化的殿堂，我也愿为此添砖加瓦。

昨天应邀去北大做了场讲座。我提前到了半个小时，沿着未名湖走了走，真切体会了一种"不言而教"的境界。漫步在北大的校园，自然清新的感觉扑面而来，不知是来自于鸟语花香，绿草古树，还是来自于学舍荷塘，总之到处都有那种高雅恬淡的空气。未名湖的美，不仅仅在于景色，更奇特的是它有一种震撼人心的感染力。还有校园的点睛之笔——博雅塔，真是美仑美奂的杰作，让人百看不厌。

同学们告诉我，若再加上宫殿式的北大图书馆，就构成了校园的经典标志——"一塔湖图"。听着北大学生们自豪而动情地介绍着他们的校园，我的心中也是激动不已。

这种自然与人文的完美结合，时时都在默默散发着、渲染着、传递着中国传统文化的气息，天天生活在这种博大精深的文化氛围之中，无声的滋养和潜移默化，自然而然地可以从校园里每个学子的气质中显现出来。我不禁想到，同学们为什么要报考北大，那可能就是一种历史使命，从根源上来说是中国传统文化的气息对同学们的召唤。而北大学子的每一颗心灵，因同气相求聚集在一起，一届又一届的同学，都对"未名湖"和"博雅塔"注入了太多的感情，这种感情最后凝结成了"未名湖"和"博雅塔"的灵魂，也就是北大的灵魂。所以当我站在塔下湖边，立刻就觉得心潮起伏，那是一种感动，一种对中国传统文化的感动。因为我能够真切地感觉到这个湖是有心灵的，这座塔

是有灵魂的，所以我要说，这座校园本身就是一个伟大的老师，你都不用进入北大的课堂去上课，只要一进入北大的校园，你就已经被教化和感召了。

来北大，让我深刻领略了"不言而教"的神奇与魅力。许多朋友给我来信说想学习中医，或者通过中医打造健康。真心希望中医界有这样一个"不言而教"的领地，带着您走向中医文化的殿堂，我也愿为此添砖加瓦。

■ 感悟《求医不如求己》

鱼儿：

言北大之美，描中医宏图，以展"不言而教"的妙境。

hadhad1：

数千年来，文化浩劫无数，而传统经典却历久弥新。子曰：岁寒，然后知松柏之后凋也。三武一宗灭佛，而佛法复兴。暴秦用苛法，焚书坑儒，至汉，儒学复振。五四反孔，红卫兵亦砸之，而今言孔孟者又多。汉灭张角，元烧道藏，而老庄之语长存。此三者，其犹松柏乎？岁寒，百草皆凋，而其独能傲雪常青！

9. 人最大的病就是恐惧

> 很多人都是心病，自己吓唬自己，其实人最大的病就是"恐惧"

看着博客上那么多无助的朋友；言谈话语中充满了太多的恐惧和忧虑、无奈和哀愁，在他们的头上似乎只有阴霾无光的天空，眼前似乎只有阴森可怕的沟泽。我真想对朋友们大声呼喊一声：别害怕，没有什么大不了的!

大家可能觉得忧虑恐惧是理所当然的——有这么多解决不了的问题，谁会不忧虑恐惧呢? 其实，我们有两种解决方案可以选择：一种是自己能解决的问题，那一定要努力自己解决；另一种是自己根本无力解决的问题，那也别去忧虑恐惧它。因为忧虑恐惧什么作用也没有，只能白白搭上我们的气血，让我们更加地虚弱，更加地六神无主。有时身体的疾病对我们只是一点点的损害，而心理上的巨大压力对我们的摧残不知要严重多少倍。我认识一个开书店的朋友，生意兴隆。几年前他开了一家酒楼，被邻居的大火烧得片瓦无存，损失惨重，他赶到火场，只说了两句话："人都没事吧?""那好，让它去烧吧。"当时公安局局长也在现场指挥，听了这话，握住他的手说："你这个朋友我交定了!"事后，我问他："你当时怎么这么豁达呢?"他说："酒楼已经烧了，哭天喊地也于事无补，倒不如保持尊严，笑面人生，这样还可以再挣回一个新的酒楼。"

前两天一位朋友请我吃饭，她自己却一点不吃，满脸愁容。原来她老公最近颈椎病非常严重，每天晚上痛得难以入睡，白天根本无法工作。她到北京出差，可心思都在老公身上，每晚都做噩梦。更令她担心的是，她经常会坐在那里莫名其妙地掉眼泪，她怀疑自己可能得了什么大病，所以茶饭不思，脸上也像是粘上了一层尘土，毫无光泽。她跟我讲述的时候，也是眼里含着泪。我为她摸了下脉，肝脉弦紧，余脉皆沉弱无力，便对她说，她只是有些气郁不舒，引起血液流动缓慢，造成心血不足，心生恐惧，便会影响睡眠。我告诉她：压抑时能够自动哭出来，是最妙的解肝毒之法，对肝脏有很好的保护作用，一般人还没有这样的功能呢！她一听顿时破涕为笑，说："看来我没病，那我以后想哭就哭了。"也就是在这一瞬间，她的脸色便泛起了红润，并对我说："不好意思，我现在突然饿了，我要赶紧吃点东西了。"说完便狼吞虎咽，逗得在座的朋友都开心地大笑起来。

有的朋友可能会问，我们不爱哭的人，肝毒从哪里排出呢？主要的通道是胆经，所以敲打胆经会缓解肝脏的压力；同时别忘了按摩太

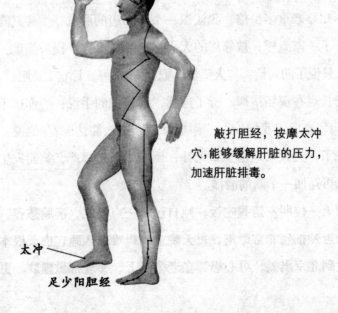

敲打胆经，按摩太冲穴，能够缓解肝脏的压力，加速肝脏排毒。

太冲

足少阳胆经

冲穴。但是解情志之毒，还是眼泪最为迅捷。

我从包里拿出个刮痧板送给她，告诉她治疗颈椎病要刮的部位，她此时已显得神采飞扬，拿着这块乌黑发亮的水牛板，顽皮地说："好，回家就拿老公开刀。"四十多岁的人，一时竟像个小孩子。

很多人都有心病，自己吓唬自己，其实人最大的病就是"恐惧"。

感悟《求医不如求己》

拿什么拯救自己：

我们的身体是土壤，疾病是土壤里不良的种子。医疗就是在土壤里清除或者杀死不良的种子，但这种不良的种子太多了，祛除了一些，风一吹又来了不少，最后发现土壤里长满了恶草。改善土壤才是唯一能让你彻底、永远保持健康的方式，中里巴人的方法就是改善土壤的一种非常好的办法。

安得颐养天年，书中自有玄机

一年前，中国人还不知道这个隐世奇侠，但他悬壶济世的大德早以《求医不如求己》博客之名盛传于互联网内外，他写下的每一句话及无偿教给人们自己使用的功法，都带给了人们福气，拯救了无数看不起病、看不好病的人及家庭，帮人们平安度过心与身的苦海。一年后，在万千民众的焦盼中，中里巴人先生又因好生之缘为大家双手奉上《求医不如求己2》。

与第一本《求医不如求己》有所不同的是，在本书中，他不仅一如既往地为众生捧出自己的祖传道家秘方，还根据人体五脏六腑和经络、天地的神秘因缘，从长生的角度，结合《黄帝内经》之精髓以及中医实证案例，总结出了一套适合不同季节、不同体质、不同年龄人的健康养生妙法，让人人都会使用，并在使用中逐步根除各种疾病，更主要的是消弭对疾病的恐惧，尽享"求医不如求己"的无忧之境和天大乐趣。

这是又一本给我们身体和心灵带来洪福的书，翻开本书任何一页，你即可收到意想不到的福报。

像中里巴人那样生活——《求医不如求已》的幕后故事

中里巴人（郑幅中）：当代医学奇侠

高慧英：芝加哥大学MBA，中医文化经纪人

田原：中国中医药出版社《中华中医名流》记者

从边缘进入了主流语境，处变不惊

田：中里先生今天看上去有些疲惫，最近在忙什么呢？

中：在准备我的第二本书，还要准备一些培训、讲座。事情比较多，我自己感觉也是有些疲惫。

田：听说前一段时间，你应邀到央视"百家讲坛"录节目，讲什么呢？

中：《解读黄帝内经》，上次只是试讲。

田：是很"中医"的那种讲法吗？

中：不，是通俗的讲法，主要是传播中国传统文化，从这个角度讲，就不能太专业，要把握那种通俗易懂的感觉。如果是学院派的模式，给学生讲课那种，就要请一些专家去讲了。

高：中里老师的确很累，这一段时间工作比较繁忙，他几乎每天都要熬到半夜才能休息。

田：那么辛苦，用你书里的第几招式来调整啊？（笑）

中：我一般就是打打太极拳，或者打打坐，就能缓解一些。

田：一个人，从没有声音到有了发言的途径和权利，从边缘进入了主流语境，并成为主讲，这不仅仅是表现方式的转变，心理、情感和生活方式可能都要跟着变，能接受这种变化吗？

中：我倒没觉得变化有多大，状态也没受到什么太大的影响，可能就是事情多了一点。原来，我闲暇的时间比较多，现在就是忙碌一点，显得有点乱，心理上倒没有什么明显的变化。

送礼就送"粉宝书"

田：听说最近在北京生活类图书排行榜上，《求医不如求己》已经排到了第一名？

中：是吗？我不太注意书店，我看当当网上是排到第一或者第二的了。

高：已经再版了很多次了，现在就是"滚雪球效应"，好多人一买就会买很多本送给朋友。博客上有那么多留言，好多人说你的书我已经买了50本，那个说我买了100本，都觉得这是送给亲朋好友的最好礼物。很多人说，是这本书让深奥难懂的中医走出了玄坛，也是这本书使似是而非的中医走近了百姓。

田：这种状况，让人想起当年，大家都拿一本"红宝书"以表现自己很"革命"，现在呢，《求医不如求己》是一本关于身体健康"革命"的宝书，是启蒙大众认知自己身体的，情理互动的文字，语言充满温情爱意，是你有意为之吗？

中：不是那样的，就是我平时的表达方式。应该说，生活中的我，骨子里就是这种东西，和家人、和朋友也是以这样的心情去沟通和交往，也就顺其自然地表达出来了，只是当时不知道这种表达会不会被大众接受。现在看来大家是乐于接受的。

用情感传递语言

田：你如此巧妙地接通了读者的心灵电话，真的没有技术成份？

高：你可以看中里老师的博客，语言几乎没有什么改变，书呢，也只是把他博客上的文章收录了一下。一切都是自然而然的。

中：因为完全是心情的自然流动，是一种情感在往外传递，有时我自己写的时候也会被感动。你看我的文章可能会感觉有些散，还可能有病句，但这个句子我只要觉得有力量，能在大家心里产生共鸣，我就这么去表达了。还有就是，我觉得这才是我想"使用"的语言。

田：中里先生的意思是：我要传达的是情感，而别人的语言弄得都太像语言了。(笑)因为进入了语言时代，所以语言被弄成了主体，情感反而避而不见。

中：是的，几乎给颠倒了，因此我就不管语言，只关注心灵的真实，有两个字能表达的就不用五个字，尽管文章是靠语言组织起来的，但是我不想在语言上过于着力，我想表达的是一种内在的情感力量，也可以说是用情感来传递语言，而绝不仅仅是流于语言的陈述。你接收到了我的这种情感的力量，我的目的也就达到了。

高：很多人说，看中里老师的书，能触摸到一种心灵的质感，或者沁人心脾、随意自然，给人信手拈来的感觉；或者心无旁骛、举重若轻，颇有四两拨千斤的力量。(笑)

田：是不是可以理解为触摸到一个敞开的心灵花园，四季常青，芬芳宜人，可以用这些芬芳来清涤世间的烦恼？

高：没错儿，就是这个意思。

田：说到花园，我倒想起来书里面有一段"激情玫瑰补肾法"，你的老师真的不让你说出来吗？

中：对呀。过去练太极的老师都是这样的，他们讲究"道不轻传，医不叩门"。因为他们自己琢磨了一生才琢磨透的东西，不想随便给人，必须得找一位有缘人，才会倾囊传授。所以老师跟我说，这些东西咱们研究了一辈子，不要随便给别人……(笑)

田：结果老师给你了，你却给了所有人，就快要"地球人都知道了"！(笑)说出来大众受益，这也是结了一种大缘。

中：对，这也是我的一个初衷。老师跟我一见如故，他有上百个徒弟，好多心法，基本上他都不传授，却愿意教给我。老师说他和我聊天的时候，发现我能了解他的心法，我觉得这就是缘分。

田：和老师怎样结下的这个缘分？

中：我和老师的结交非常偶然。有个患视神经萎缩的朋友曾经向我咨询过他的病情，用我提供的方法调治后，他现在已经可以自己开车了。他曾是老师的一个徒弟，为了感谢我，就把我介绍给了这位太极宗师——李宝良先生。在认识老师之前，老师已经对外宣称不收徒弟了，可是和我聊过之后，又想收我做徒弟了，但又不好意思自食其言，就给他的大徒弟打电话，说："有一位郑先生，根基不错，想在咱们这儿学学太极，你教教他吧。"大徒弟说："我这资格哪儿教得了人家，还是您来教吧。"老师便说："那就我教吧！"于是就把我收为关门弟子了。

推崇"形而上武"

田：中里先生没学过中医，却对中医领悟得很深切、很到位，为什么？

中：如果从学院派的角度说，那肯定是没学过。怎么说呢？就像我的老师强调"形而上武"一样，就是要多体会武学里面的精髓，掌握了这个"道"，你才能把所学的东西贯通，否则就是光练了一些皮毛的东西，没什么价值。

从武学的角度来说，我这一辈子也达不到老师的那个境界。老师的那些徒弟们，太极拳打得都非常漂亮，要和他们对抗的话，我也不是人家的对手。可老师说他们那是练出来的，而这些是需要悟出来的。我比较喜欢那种随意、自在的生活状态，所以对于武学并不是很上心。我对精神领域的提升会更注重些，所以会经常静心打打坐。老师可能想找一个知音吧，他那些高深的思想，包括武道和武学，希望有人能传承下去，所以愿意和我交流。我们是师徒关系，也是忘年交，更是知音。只可惜，老师的东西我也只是学了个皮毛。

田：你更着意中医的"传承"？（笑）你在生活中自学中医？

中：生活中也没有人教过我，家里有一些古代的医书和我祖父写的书，大多是木版繁体字，但我从小就喜欢读。我祖父应该算是民间医师，解放前被菲律宾的一个富豪请去当私人医生了，所以我父亲也受了一些熏陶。父亲从小拜尹氏八卦掌第三代传人尹玉章为师，后来成为第四代传人。我从小跟随父亲习武，但更多练习的是强身健体的内功，使丹田得气，而不是与人技击的招数。

田：丹田得气是什么样的感觉？

中：很热的那种感觉，总觉得体内像有火一样，自然地要往四肢去灌，这样四肢就觉得有劲儿。那时候家里有棵树，我就拿胳膊经常抡击大树，用后背撞树，感觉那会儿的气比较蓬壮，很自然地就会运气，可以灌到四肢和掌心，以致发出声音。

（中里先生边说边伸展了一下胳膊，可以听到他的骨节在"嘎嘎"作响，却根本看不出他在运气。）

田：有点儿神，是不是像电影里的功夫高手对着树"嗨"地一声，树就倒了……（笑）

中：其实我练的不是功而是气，我父亲练了一辈子的八卦，称得上武功高强，却无法将气灌到掌心，可我打个坐，很自然地就灌过去了。这使我对经络非常有感觉，比如我能感觉到这个经络走哪里，那个经络通不通……我都是先有亲身感悟，再用理论对照。我觉得现在的中医学院的学生往往是反其道而来的，针扎到别人身上，别人会有一些感觉，但整体的气血是怎么传导的，他感觉不到，所以他对经络不可能理解得很深刻。"医武同源"这个词说得还是很到位的，你看金庸小说里面的武功高手大都也是医疗高手，就是因为他们知道经络的走向。可以这么说，如果没有对武学的研究和实践，我觉得自己对经络和中医古典的认识和理解就不会像现在这么深。

田：这是你对中医，对经络最开始的认识？

中：对，这样一来，我对中医就有了兴趣，就非常愿意看这方面的书，后来可以说研读了中医各家经典，结合了现代医学的思想，自己有了一些感悟，觉得"治病不如防病，关注疾病不如关注健康"，这也是《求医不如求己》的最原始来源吧。

"乱"世英雄

田：听中里先生这样说很有意思，就是说，你在很小的时候，就对身体对生命的奥秘很感兴趣？

中：我从小就喜欢中国传统文化，像老庄，四书五经，只要有时间我就
会拿过来看。还记得初中的时候就去商务印书馆，买什么休谟啊，弗洛伊德
啊，也没人告诉我这些，但我就是喜欢。当时也是心绪特别乱，因为乱，就
想从哲人那里得到一些灵感和启示什么的，总想把自己给理顺了；但我感觉
这些东西并不能让自己理顺，因为好多东西都是不理解的。后来接触了《金
刚经》。我感受最明显的是，每天念一段《金刚经》，心里便开始舒展了，没
有那么多思虑了，然后又念心经，又练打坐，逐渐地，心就静下来了。

田：你说的"乱"具体是什么？

中：就是心绪特别乱，比如你跟我说这件事，我听不进去，我总是想我
自己的事，然后干这个事的时候，我又想别的事，长时间就在这种状态里，
精神就是不能集中。

田：这种状况持续了多久？

中：从上中学开始有好几年都是这个样子，那个时候有一个明显的毛病：
就是别人给我讲什么我都听不进去，我必须自己想通了，才能接受。

田：高小姐和中里先生一起工作这么久，怎样理解他的这种状态？

高：其实这种状态很容易理解。我们每个人都可能经历过这样的时期。
拿我个人来讲，曾经在不同的国家学习、工作和生活。每到一个地方就会受
到一些文化上的冲击，英文叫"cultural shock"，在这种冲击中去学习是痛
苦的，需要一个自身调整的过程，也就是中里老师所说的"乱"。但等到调整
期过去，自己固有的思想和当地的文化融会贯通了，你就会发现自己前进了
一大步。中里老师在那个时候实际上就是处于这种调整状态之中。因为他研
读了大量的中国文化、西方哲学、传统中医和宗教等方面的书籍，各种不同
的文化思想必然会对他形成一种冲击。但正是由于这种冲击，促使他去思索，
去体验，去努力寻找解决问题的答案，也促使他去融会贯通、举一反三，形
成自己独特的思想体系。

我跟中里老师已经是 10 年的朋友了，现在来看他的思想，应该属于奔
放自由.无拘无束的状态，和他的书体现出来的一样，应该说跟他以前的"乱"

不无关系。

田：一本好书，犹如一个温柔的女性，又仿佛是久违的朋友，让人爱不释手。这都是我们这个时代极度匮乏的。

高：其实中里老师的书最打动人的就是他的真情流露，正如您所说，读他的书就像听一个朋友在娓娓讲故事，让你有身临其境的感觉。前段时间中里老师接受了MSN《名医讲堂》的访谈，有网友说自己是医学博士，为什么MSN不采访他而采访中里老师这个非医学专业的人？我觉得问这个问题的人的思维就很僵化。很多真正的大师都出于非学院派，像童话大王郑渊洁，创意大师乔布斯等，正因为没有受到固有模式的束缚，才会有那么多的奇思妙想。

中里老师也是这样，他的思想大都来源于自己的探索和生活的感悟，他是带着自己的感悟去看《黄帝内经》、《伤寒论》等各种医学典籍的，于是发现自己的感悟常常与书中的理论不谋而合。因为源于生活，所以也就贴近生活，容易引起读者的共鸣。这本书不是简单的医学书籍，而是他这些年心灵感悟的综合，集哲学、医学、武学于一体了。

刚开始的时候，他并没有想要出书，只是在博客上随机记录一些自己的心灵感悟，所以你读这本书的时候会发现有点儿散，但是单独拿出任何一篇都不失为独立的好文章。应该说在出书之前，他完全是那种自由自在的思想状态，但现在情况稍有些不同了，因为读者的要求和他想要表达的有些不同……

田：导致中里先生又有些"乱"？

中：是有点乱。其实我本身呢，不管是写博客还是写什么，从初衷来讲，并不是说我要来给你讲点什么，我就是想把我的感悟说出来，有缘的人就自然会去汲取了。但是现在这个方向有点偏，因为读者总想找一些他们想看的东西，所以我再写的时候，就有些下意识地往他们喜欢看的东西上面靠。

高：大众的要求与他内心想要表达的有了冲突。

中：对。我的初衷就是想按照自己的步伐去走，可是现在是大家向我提出了很多需求。我的博客上问医问病的信息有几万条，所以我多少都得照顾一下这些需求。可是照顾了这些就会影响到我自己，我几乎没有自己的时间和生活了。有时候我也想，没关系，我可以做完大家需要的，然后再来照顾自己，但总是事与愿违，有一点迷失的感觉。

比如，有人在博客上写道："郑老师您是菩萨心肠，普渡众生。"我说我不是，如果是有缘人，大家可以一起走，而不是说我要穷尽自己为大家服务的，我还没有达到这种高度。但是，无形当中就有一种压力，你总得为你的书和说话的后果负些责任吧！

急病上医院，未病自己防

中：再比如说，我希望我的博客变成"春来茶馆"，我是阿庆嫂，来招待四方宾客，到这里交流一下彼此的感悟，找到健康的理念。希望来这里的每个人都有一份收获，甭管精神上、还是身体上的收获。这就是我的初衷。千万别把它当成一所医院。

田：一个开辟新知的方法，或许是开启你自身生命奥秘的一把钥匙，你有了这个东西以后，对很多事物就能正确应对了，就不只是一个病的问题。看官应该这样理解中里先生和他的书。

中：对，就是这样。

高：其实"授人以鱼，不如授人以渔"的道理大家都懂。但是这本书出来以后，看起来想要"鱼"的人比想要"渔"的要多。有人开玩笑说："求医不如求己变成求医不如求中里了。"（笑）每天到博客上留言的人大多都是病人，这个人肺癌晚期，那个人什么怪病，都在那儿跪求说："郑老师您就是我的救命稻草。"——其实这是一种误解，前面已经说了，中里老师的初衷是给大家提供一把解读自己身心的钥匙，求医不如求己，只是一种生活的态度，而不是让大家生病了不要去医院。他的博客首页明确说"急病上医院，未病自己防"嘛。我们倡导的是这种科学、理性的态度。

中：比如有人问尿毒症应该按哪儿？你不告诉他，他就老问你，得不到回复就开始骂了。

田：你不给回复就骂你？

中：骂啊，不回复就骂，说我都问几遍了你怎么还不回答？你书写得那么好，那么神，可你什么招数都不告诉我，你是骗子吧？还有一个网友说，我爸爸说你是图财害命，因为他用了你书中的方法后，腿反倒疼了。接下来就是他爸的详细病情，当然不是腿疼的症状，相当长的篇幅。最后还说："求求你，赶快回答我吧，谢谢。"

（说到这里，中里先生无奈地笑了。）

高：加强和网友之间的互动其实蛮重要的，有一些领悟特别好的网友，也就是我们说的有缘人吧，几乎每天都来，与大家分享和交流他们的经验和感悟，这些人确实起到了很好的引导作用。最近博客上的环境便好了很多，好多人也不再说求郑老师怎么样，而是说：我知道郑老师比较忙，求有缘的网友给支一招什么的。这样就有一种互助的氛围，让你感觉到很温暖。

我们上周召开了一次网友沙龙，找了一些经常在网上交流经验或者说分享心得的朋友过来聊天，达成很多共识，觉得多一些人传播健康理念，是一件非常有益的事。

有的网友本来就是学中医的，有的虽然没有医学基础，但久病成医，各种原因使他们关注健康方面的书籍和理念，在中里老师博客的基础上，慢慢琢磨出一套适合自己的养生方法，以至于经常在网上帮助其他人。我们很高兴看到这样一种导向，越来越多的人关注健康，这也逐渐贴近了中里老师的初衷。

中：的确很高兴看到这些。开始我都不敢上博客，一上去，简直就是满目疮痍，各种怪病、难病都向你扑来，吓得我赶紧就下网，不敢呆在上面了。

田：我有一个认识，中里先生对生命、对自然、对心性的启悟，其实是回归了生命本体，而非一病一招地被动应对。

高：对。《黄帝内经》的主旨就是天人合一，我个人的理解是古人对生命本身的探索更多是源于对自然的感悟，而不是仅从书本中寻找答案，更不是一招一式的机械模仿。中里老师就有这种古人之风。

田：应该说像中里先生这样的人肯定还有很多，只是他们的声音没有回荡的空间，或许说是没有找到一个发声的途径。现在你的声音发出来了，从网友的互动看得出，你带给国人的是一种新的思维：我们的身体是什么？我们和自然的关系是什么？我们和自己的内心的关系又应该是怎样的？作为高智性的人类，我们是否应该有另外的一种生存状态？　这是一个很大的问题。你以大家都能读懂的话语把它提了出来，换来大家对这一命题的思考，这本身就是一个巨大的、开创性的贡献。

从大自然中吸取原动力

田：正如高小姐刚才提到的，中医强调"天人合一，恬淡从真。"就是讲人与自然、与社会、与自己身心的融洽关系，而现代人焦躁不安的心灵似乎很难归于宁静了。谈谈你的体会。

中：佛家有句话叫做："烦恼即菩提。"许多年前，因为我的思想比较乱，所以烦恼很多，但是这些乱我觉得也不是白白地耽误时间，就因为这个乱，我才会期望去找到一种头绪，想把它给理顺了。这个乱本身就有一种忧虑和恐惧在里面。我觉得人生就是要驱除两个东西，一个是忧虑，一个是恐惧，把忧虑和恐惧去掉了，心灵也就通畅了。

田：那你觉得应该如何驱除忧虑和恐惧？

中：最近我写过一篇文章，题目是《人最大的疾病就是恐惧》。博客上有那么多人向我求医问病，我相信大多数的病都跟恐惧有关。我自己也曾经有恐惧的时候，比如前面谈过中学时的思想意识混乱，就包含了一种无名的恐惧和忧虑。大多数的人恐惧和忧虑的原因是因为心理没有一个支撑的力量。这个时候有两种方案可以选择，一种是自己能解决的问题，那一定要努力自己解决；另一种是自己根本无力解决的问题，那也别去忧虑恐惧它。因为忧虑恐惧什么作用也没有，只能白白搭上我们的气血，让我们更加虚弱，更加六神无主。我中学时采用的是前一种方案，现在常常会采用后一种方案，也就是爱默生所说的"让老天去处理"。

田：可不可以这样去理解"让老天去处理"：就是顺其自然，顺应生命本身的呼唤？

中：对，我似乎很善于从大自然中去获取原动力，比如通过一棵树，一个石头，获得一点启示，一点力量，也许这就是所谓的"天人合一"吧。《金刚经》里面有一句话："应无所住而生其心。"这句话就是告诉你：物来心而道不留。心像一面镜子，你到这个镜子面前了，迎接你的是人的头像，然后你走了，镜子里什么都没留下。这正好验证了佛教中的一句禅语："风来疏竹，风过而竹不留声；雁渡寒潭，雁去而潭不留影。"来的事情随之又空了，所以叫"应无所住而生其心"，就是从来不把事情留在心里。理解了这个道理，忧虑和恐惧也就随之而去了。

从感性到理性再到悟性

田：人生的问题不是仅靠思考就能解决的，有思考就必然有忧虑。人类一思考，上帝就发笑。

中：有时候我觉得人生应该抓住几句话，这几句话就是一种力量。当我心里要产生什么东西的时候，我就会跟自己说："应无所住而生其心"，然后很容易就想开了。当下的人们，之所以感到每天都很焦虑，就是因为没有"生其心"，因为总被思虑占着位置，其他的就不容易进来了。

那怎么办呢？我个人的体会，一是学会从大自然里培育感情，以此给内心补充一些营养，这样就会有一种自由的力量。为什么我会从一棵树或者一块石头中获取能量呢？就是因为树木对人有一种关怀，石头的形状也有一种自然的情感表达，我通过它们产生的感情，就获得一种心灵的力量。

田：世间万物皆有情，只是你的心智打开，学会接受，就会受益无穷无尽。

中：对啊，抛开玄学什么的，只要每天这样去思考，去感受这些东西，你就会觉得心灵是无比丰富的。

中学以后我曾经相信过梦境。比如说我做一个梦，记得很清楚，我就想为什么会做这个梦，它可能会昭示我些什么东西，我就会把这个写下来，然后再看看它究竟昭示给我什么东西没有？也许不对，但确实培养了我用心灵思考的一个习惯，而不是简易地从书本上找东西用。我习惯从自然界任何东西里面吸取养分，这种养分都是鲜活的，有灵性的，而不是书本里那种刻板的东西。

高：其实生活就应该是用心灵来感悟的。现代人恰恰把自己心灵上的感觉忽略不计，而更多习惯于用脑、用所谓的"知识"来支撑自己。培根说："知识就是力量。"而我觉得善用知识才是力量，这种"善用"就是用心灵去感悟。一个人从感性到理性再到悟性，才算完成了学习的过程，而能够完成这个过程的人并不多。当从悟性回归到感性的时候，才会有最理想的状态。

中：我完全同意这种说法。开始那会儿，我也是对这种"心灵学说"将信将疑。比如说遇到疑难杂症了，我也会去查找相应的古籍，但几乎都没有现成的答案，都是需要自己去悟出一个办法来解决。

多年前，有一个香港朋友半身不遂，只能坐在轮椅上，他找我去帮他看看。有人说我不是医生，没有什么临床经验，没用。这个人说得不假，但是我能让那个朋友在两个礼拜之内站起来了。记得有一天我帮他按摩，他突然出现后背发热，按照医籍来说就是阴虚火旺，但是他的脉象和舌象又没有这些症状，我一时也无法说清是什么原因。我就躺下，什么都不想地在那儿眯着，眯了一会儿，就有一种内心中的声音在告诉我："你应该如此这般地去做。"——最开始我还不相信，后来我发现按照这个方法去做，真的就能解决问题。

田：这是不是就是高小姐所说的"悟性回归到感性"？

高：我想是的，也应该是每个人内心渴望达到的状态，可惜能够达到这种状态的人真是少之又少。

越是禁忌的东西，往往越是有效

田：在似睡非睡之间，也就是那种半瑜伽状态当中获得的某种"神启"？

中：听起来是不是有些玄？（笑）知识这东西并不是在书本里，它在大自然当中。我们是上天的儿子，所以我们每个人就是宇宙的一个细胞，宇宙的智慧必然在我们中间包含着，只是我们没有跟宇宙去接通，没有获取到自然与宇宙的能量。

书本固然重要，可以给我们搭建一些桥梁，但是真正有用的东西，不是从书本上学来的。有的人将《黄帝内经》整本地背，但是哪句对他有用，他却不知道。我通常是经过实证之后，觉得有用，然后再看《黄帝内经》的，认定确实是那么回事，然后再去广泛推介。如果总是照猫画虎，反而落入书套子里面了。

比如书上说孕妇按摩是禁忌，我太太怀孕的时候，我却总给她按摩。但是我按摩没有问题，不等于说你按摩就没有问题。因此不是说孕妇不能按摩，而是要加上适当的保护措施。古文的这个话里肯定有这些层面的意思，只是后人领悟不到那个深度，只好退而求"禁忌"。

我认为：越是禁忌的东西，往往越是效果明显的东西。比如有过敏症状的人被要求不吃发物，可是我就让病人吃发物，因为只有发出来，这个气才能活起来，才能到表面。到了表面咱们就用刮痧之类的方法给它刮出来，只是你如果没有后面的这些处理方法，这个方法就是行不通的。

田：禁忌等于特效？

中：这样说就又有些绝对了。禁忌的东西可能会有特效，但是要看怎么去利用它。因为不好把握，所以才要禁忌。

学东西一定要学最根本、最有用的东西。好多人问：为什么你看了那么多的书啊？其实我看的书并不多，我只看那几本最有用的，把它背下来，像《金刚经》，我总是随身携带，常看常新，书中的理念便浸透到骨子里面去，随时可以活学活用。

《求医不如求己》诞生的来龙去脉

田：说到悟性，的确各人有所不同。我感觉中里先生更加与众不同……

中：我觉得这是一种先天的秉赋。就比如说我家没有人信佛，但我就愿意看这方面的东西——我为什么愿意看？就是因为我有烦恼，我要是没有烦恼的话，我也就不会看了。

田：因为烦恼和焦虑，你开始自己寻找出路，寻找心里能够皈依的一种东西。

中：如果你想寻找，就必然有你想要的东西，上天特别公道，所以我总是能找到我想要的东西。

田：你觉得所有人都能够做到这样吗？

中：未必。我觉得世上有这样几种人：有的人，他可能是很优秀的，但你跟这种人不能去讲心灵上的东西，他更相信通过学习、竞争和努力去超越别人；还有的人根本就是人云亦云，不知道自己应该怎么生活，解决办法自然就是跟风或者从众；还有的人，对心灵生活有所追求，却是假追求，这种人非要初一、十五去烧香，要吃素，好像这样就能和神灵相通了，这只是表面的形式，和真正的心灵生活是两码事；但也有的人天生就是心有感悟的人。比如有一个邻居大妈，一个字都不认识，但是我们俩能交流，我说的东西她在心灵上就能感应得到，是可以超越语言的。所以我写文章时，只要我这个意思传递出去了，读者感应到了，这就足够了。而且我觉得说出去的东西首先要能感动自己，如果自己都不感动，又怎么能引起别人的共鸣呢？

高：我感觉，这种心灵上的东西，有人来得早，有人来得晚。走的弯路也有可能不是弯路，之前的人生阅历可能就是为了今天做准备的，只是各人的感受和表现方式不同罢了。而中里老师的与众不同之处在于：更早的时候，他开启了自己的心性与悟性，并因此获得了大自然的厚爱与馈赠。

田：中里先生为什么要把内心的感受说出来告诉公众？

中：也是无意之中。吴清忠先生写了一本《人体使用手册》，我觉得写得很不错，都是他自己独特的体会和理论，我特别喜欢这种自己感悟出来的东西。但同时我也觉得遗憾——书里面实用的东西少了些，加一点实证的东西会更棒。老吴说，实证的东西你是内行啊，咱俩合写吧。我说我自己先在博客上写写看，找找感觉吧。结果开博客的第一天点击量就是60，一星期就达到300了，上升得挺快，不到半年的时间点击量快超百万了，许多出版社开始找我出书，我这才感觉到我的东西原来很受欢迎，正是大家急需的。

开始时我真的没有感觉，我觉得懂中医理论的人，比我水平高的人太多了。写博客以后，网友反馈挺好，我也就有了信心。因为开始时我对大家是不是感兴趣没有把握：心灵的感悟大家会喜欢吗？会不会觉得这东西玄呢？我写完以后，大家不但相信，而且还都很支持，鼓励我把新的东西接着阐发，把他们想说但是不知道怎么说的意思全部说出来。

所以我写的东西，等于把大家心里想说的东西都宣泄出来了，这样也就与大家有了互相通气的感觉。我以前从来就没认为我自己的文笔好，能达到写书的水平。

田：什么样的文笔为好？我的理解是：第一是有情感在里面，第二是说自己想说的话。其实每个人都可以是作家，只是你用什么样的情感来叙述它，你说的话是不是你真心想说的话。文如其人，正是此意。

高：每个人都是作家，这个说法很贴切。的确，用情比用词要美得多，而且有缘的人来读有缘的书，又是一种心灵通达之美。

田：于是这书慢慢地就写出来了，然后就有人和你说，出书吧。(笑)

中：对，本来我也没想出书，我觉得自己水平不够，就写着玩呗。(笑)中国中医药出版社找到我的时候，给了我一个定心丸，因为它代表着中医出版界的权威。而且刘观涛编辑的话让我很感动，他说："你和谁签都没关系，我都会全力支持你，帮你免费编辑，因为你这些东西太有价值了，大众很需要，我愿意帮助你。"

高：应该说这些就是《求医不如求己》这本书诞生的来龙去脉吧，这本书的确是中里老师的心灵之作。

一种心理必然对应一种疾病

田：中里先生写出了自己的心悟与体悟，写出了自己的真情实意，没想到引发了关于认识身体、健康、疾病的社会现象，引发了"何为中医"的文化追寻浪潮。那么以你的眼光，怎么看待国人的身体与中医的关系？

中：我们先说疾病。疾病给大家的感觉是不好的，但你不能孤立地看待它。因为疾病必然会伴随我们，只是有的症状明显，有的症状不明显。而疾病的产生必然和心理相联系。我认为：有一种疾病必然对应一种心理，正如一种水养一种鱼，如果说心理是水，疾病就是鱼。如果说我现在恐惧了，那么，这瞬间的恐惧就会造成对身体的损害，在身体上的某个部位有所反应，这种反应累积起来就会成为器质性的病变，由原来无形的东西转变成有形的了。

田：也就是一种情绪在作怪。

中：对，这种情绪和身体是密不可分的。如果一个人先天禀赋，就是这种暴躁的脾气，那么他所做的事和接触的人都可能与暴躁有关，正所谓物以类聚，同气相求。这种暴躁的情绪就会催生相应的疾病。比如得肝病的人基本上都是脾气暴躁或长期压抑的。长期处于忧郁状态的人由于经常紧张，容易得胃溃疡；生闷气的人有妇科问题的可能性比较大。有人说谁又能不生气呢？不错，我们确实无法保证不生气，但却可以通过各种方法来消气和解气。比如人在气头上时，通过刺激身体的经络和穴位，促使他打嗝或放屁，把气消了，就通畅了，也把那无形的情绪给解决了。

田：通常我们的身体也是各有不同，就是所谓的"个体的差异性"。所以每个人都应该有对自己身体的认知才是。

中：对。我认为一般人的体质都是略有偏颇的，不是完全阴阳平衡的。有人先天肝旺，有人脾虚；有的小孩生下来就有湿疹，有的小孩生下来就脾胃不好，这样的先天禀赋决定了身体要有偏差，就容易患上和身体偏差相对应的病。就像一棵小树，表面上看不出它有什么异常，其实它的根系已经在告诉你——它生长的时候会往哪边偏了。你只要是这种体质，将来就会有发展这种体质所对应的病的趋势，所以一定要改善你的体质。比如说，如果你是寒湿体质，就一定要加大温热的力度。

中医讲"上工治未病之病"，治什么呀？就是改变体质的偏差，这也是我所理解的中医与人体的关系。所以，我觉得疾病并不是最主要的问题，最主要的是如何改变一个人的心境问题，心境改变了，才能从根源上解决问题。所以中医强调"上工治未病，不治已病"，强调天人合一，恬淡从真，辨证论治等等。

田：心境改变了，行为改变了，过程也改变了，结果也就随之改变了。

中：对，脾气暴的人，可能就是火大了，你就会爱吃寒凉的东西，爱吃苦的、去心火的东西，自然也喜欢脾气相投的人，就这样在情绪上互相传染，这些东西，构成共同的一个心理环境，就构成了疾病衍生的土壤。

生命不该被动地听任疾病摆布

田：我们给大家一个忠告：当我们脾气暴躁的时候，一定要找一个脾气平和的人去调和一下你自己。

中：对，这是一方面。另一方面，人体有自愈的开关。比如生气了，你可以按太冲穴，我把太冲称为"消气穴"，它就是消气的开关。但你怎么开启这个开关？只有你愿意开启它，它才能开启。人本身有一种惯性，你必须得克服你的惯性，学会使用这个开关，这个开关才会发生作用。

高：如果不能改变自己，跟着惯性走，听任疾病的摆布，这样的生命其实很被动。

中：就像体质寒凉的人，夏天一定要少喝冷饮这类东西，也别吹空调。要是你看大家喝冷饮你也想喝，那怎么办？我告诉你一个方法：你喝的时候一定要有防范的东西。比如喝冰镇啤酒了，但同时要吃点大枣，大枣温热，这样就平衡了。是人都有嗜好，人生必须得满足一些嗜好，对于"不良"嗜好来讲，我们把"不良"给解了不就完了嘛。

田：或者说生气了，但能及时地排放出去，那也行。

中：就怕那种没有及时正确排解的，最后产生肿瘤了，没法医治，那就只能割了。我也不反对西医的"割"，因为已经成了症结了，再弄回去可不容易，树都倒了你还能再把它支起来？那可就难了。长歪的时候你可以支它，已经倒了那就是"命"的问题而不是"病"的问题了。

田：一个人有病，他家里人也都可能有病。我觉得这是一种不良情绪和意识的传染，整个家庭环境都那样。

中：对，气场都那样。如果按风水学说来看，他家的风水就不好。

田：说是风水，其实是共同的生活习性造成的，很多人不明白这家人怎么都有病，难不成是造孽了？其实不是。

中：那些整天愁眉苦脸的父母，因为心境不好，就可能会经常打骂孩子，使孩子从小就感受到一种压抑的气场。这个气场不是一天两天就形成的，是经过好多年的累积而成的，形成疾病只是个结果而已。你让我用三招两式就把结果给去掉，可是原因却没解决，那哪儿成？谁也解决不了。

强加一分人力，就离天道远一分

田：消气穴也好，太冲穴也好，并不是说这里是一个开关，我一按就把它启开了，这里面还有个"心悟"的过程。我们知道，关于经络，这么多年来医学界一直对它有个质疑，经络到底存不存在？在你这能得到一个答案：它存在。

中：确实存在。我看过一些教材，说中医的针灸是劳动人民在实践当中逐渐摸索出来的，今天发现这个穴，明天发现那个穴，这么累积起来的，偏向一种领悟吧。我不认可这种认识和说法，我比较信奉李时珍所说的"内景观照"。就是有内视功能的人发现了经络的走向，并把它们描绘了出来。

田：你在打坐中有这种体会吗？所有经络都有感觉？

中：我有这种体会。中国古代讲究"医武同源"，其中武学的心法部分，主要讲的都是如何打通经络的方法，也就是导引法。这一点大家从金庸小说当中也会有些了解。不管是少林易筋经、养生功八段锦、五禽戏等，都是借助不同的形体动作来打通经络，以达到强身健体、开启心智的目的。因为从小有武学方面的熏陶，所以我对人体经络有比较深刻的体会。但我并没有达到贯通的境地，因为我没有打通大周天，大周天就是全身十多个经脉都要通，小周天则只要任督脉通了就可以了。我也没有刻意地想要去打通这些东西，我非常相信缘分，就是说你到这个层次了，你自然就成了；你没到，就不要去勉强打通它。强加一分人力就离天道远一分，所以我觉得还是要自然而然。

田：强加一分人力，就离天道远一分，这句话说得非常好。

中：我一直这样，万事随缘。

经络就是风筝的线

田：经络有点像人体地图，标明了哪儿是出口，哪儿是入口。

中：的确是这样。我觉得经络也可以用更简洁的方法来表述。其实经络就是一根放风筝的线，五脏六腑就相当于风筝。你想让那个风筝高点儿，你就拽那根线；想让这个低点儿，你就拽这根线。比如胃痛就多按脾胃经，痛在中间就是胃的问题，在旁边通常是脾经的问题。经络就相当于一个无形的触手，你只要一点它，它就去给你修复脏器去了，很快见效。要是吃药还要在胃里消化吸收，再稀释到血液中，才能到达病痛的位置，可是经络直接就给调解了，就像放风筝一样，一拽就行了。

田：这个比喻很形象。

中：中医有句话："有诸内必形诸外。"五脏如果有问题，必定会反映在经络上，进而会反映在皮肤表面。其实静下心来好好想一想，你就可以有针对性地去治疗，因为身体已经告诉你哪儿有问题了。初学经络的人可能会问，我痛的部位在这儿，而经络的位置在那儿，二者有关系吗？你只要掌握一点基本的经络知识，就会自己体验到这二者的关系。有的人说左臂老是麻，麻到中指了，那就是身体在告诉你心包经有问题，是冠心病、心梗的前兆。就像前段时间侯跃文的问题，完全可能及早发现，把心包经打通了，就不会出现这个后果。因为他肯定有一些事先的症状，比如肩膀痛了，他没能意识这是心脏的问题。如果事先注意了这些问题，就完全可以尽早解决掉。身体会告诉你很多信息，只是你忽略了，你应该学会倾听身体的语言，因为它告诉你的信息才是最真实的。

高：说到经络的效用，我也可以提供个案例。2005年底，我回国之前，在美国进行了为期3个月的自驾车旅行，不慎把脚踝扭伤了，我就带回美国运动员扭伤擦的药，一直擦，但就是不好。一年之后，我母亲来北京居住，中里老师到家中看望我母亲，我就顺便说起我这个脚踝的毛病，他告诉我揉脾经的两个穴位，一个礼拜之后就好了。我的脚踝痛了一年半，应该说也用了世界上很先进的药物了，但根本不管用。结果就是每天按几分钟穴位，就好了。许多人觉得穴位疗疾过于简单，有些夸大其辞。其实大道至简，有效就是硬道理，持怀疑态度的人自己亲身体验一下就好了。

中：我都是顺势而为的。

高：有一次去一位朋友的公司，这位朋友突然心绞痛发作，平时他经常会这样，要吃硝酸甘油什么的，但那天他突然找不到药了。正好我们推门进去，中里老师就帮他揉了揉相应的穴位，也就不到10分钟的时间就好了。朋友的太太说他平时发作时至少要两个小时才能恢复过来。

谈中医不能脱离中华传统文化

高：现在越来越多的人关注健康，希望从中医文化的精髓中获取能量。人们非常需要交流，但是以什么样的方式交流，这是我们正在探讨的课题。

有人问："中里先生是不是学医的呀，他权威吗？"

第一，中里老师作为中医领域、健康领域的资深研究者，他的贡献不是行医治病，而是独特有效的健康理念和养生方法。因此他的使命是在中医文化的基础上，传播自愈健康的理念，以期唤起人们对健康的信心。这不仅仅是东方健康文化的组成部分，也是西方许多医家所倡导的。美国哈佛大学医学博士安德鲁.韦尔就是倡导自愈健康的代表人物，他的代表作《不治而愈》在美国很是流行；第二，我们的理念有《黄帝内经》作为理论依据，《内经》上说"治未病，不治已病"，也就是中里老师所说的"治病不如防病，关注疾病不如关注健康"。中里老师的书也是告诉大家在疾病未发之时如何预防，在所谓"亚健康"的状态下如何调理，选择一些简单实用的小功法，与大家分享。我们希望读过中里老师的书的朋友们每天都能健康一点点。

中里老师不仅精读过《黄帝内经》，而且对中医各家经典都有涉猎，更研读了现代医学的思想，而且他能够举一反三，有很多独到的创见。前两天有一位中医专业毕业的网友在博客上留言说："愿中里老师对我们这些有医学基础知识的在职医生提些建议，利国、利民、利己。"中里老师承担的不是一个医师的角色，而是一个中医文化大使的角色。

田：我觉得中里先生看到的是"整体"的人，他在告诉我们：作为一个人，你自己本体的东西是什么？他帮你找到本体，这也是中医学最根本的东西。中里先生可否谈谈你如何看待中医？

中：谈中医不能脱离中国传统文化。过去有句俗话："秀才学医，如笼抓鸡"，因为秀才对中国传统文化很熟悉，而中医正是中国传统文化中的一个瑰宝。只有精于中国的传统文化，才能真正领会中医的精髓，这样的"秀才"学起医来，就像到笼子里抓鸡一样，伸手可得。

有一次应邀去北大做讲座，我问同学们学的是什么？他们说学的是《伤寒论》和《医学三字经》。关于学习中医，我个人认为最好从经络开始。有句古话说："学医不名经络，开口动手即错。"这就明确地告诉了我们，学习中医要从经络入手。古代医家曾说，经络为"医之所始，工之所止。"是说医者入门的学问是经络．达到极点的造诣也仍要归于经络方面。所以我一直坚持：中医的精髓就是在于经络，你必须把经络理论落实在心里，融汇到自己的实践当中去感悟，然后再学药理、针灸以及其他方法，才会达到事半功倍的效果。

做中医文化的传播大使

田：中里先生今后还是会继续你对生命的深度挖掘吗？

中：肯定是的，这是我人生的一个目标。我很崇尚孔子那句话："朝闻道，夕可死矣。"死之所以在圣者眼中变得轻微，就是因为"闻道"是最可贵的。

田：你想达到一种什么样的境界呢？

中：我内心很清楚自己想达到一个什么样的境界，好像有这种昭示，但我没办法用语言表达清楚，因为现在还没有达到．还有很多困扰，机缘也不够，但我相信我能达到。至于当下，我们就是想通过各种方式去传播中医文化，倡导一种自愈健康的理念。

高：作为中医文化的传播使者，我们抱有一种使命感。为此我们成立了中里巴人健康科技有限公司，以社会企业运作的形式，网罗有识之士为更多的人做一点事情；因为这个使命不仅仅是他一个人的，更是很多同气相求的朋友们的共同目标。希望能够找到很多这样的有缘人，一起来做这种关于生命的深度探索，希望能够攻克一些也许是现代医学无法解析的难题。

举个例子，出版社曾经转给我们一封信，一位13岁的孩子，从4岁就被孤独症困扰，他爷爷写了一封信渴望能得到中里老师的帮助。中里老师之前也并没有专门研究过孤独症，就尝试着去帮这个小孩号了号脉，指出他的病症在肝经。一周之后，小孩的爷爷就打电话来说：小孩以前上床两小时后才能入睡，症状已经持续了9年，但采用了中里老师的建议后，现在几乎是上床就马上进入梦乡了。

7周之后，小孩的爷爷又打来电话，说小孩以前有无意识地咬手指的行为，经常会把手指咬破。但在中里老师看望他的3个周后，这一行为消失了，而且连续观察了一个月，非常稳定。

但在中里老师看望他以后，这一行为就逐渐消失了。

田：中里先生具体采用什么样的治疗方法？

中：他那个病症在肝经，所以关键是揉脚底"地筋"以调肝经，揉太冲到行间以泄肝火，再经常理理大腿内侧的肝经。这就是我提供给他的方法，其实很简单。

高：简单的方法却解决了孩子9年来的一些问题，你说经络有效还是无效？最近我们还会再去看望一下这个孩子，也算作为一个研究课题吧。

完成这样的研究，这样的使命绝对不是一个人或两个人的任务，我们希望在不久的将来可以成立一个公益性的健康基金会，以帮助更多的人获得健康，这也是中里老师的夙愿。

中：还是顺势而为吧，但愿会有更多的有缘人来聚沙成塔。

田：非常高兴的是，《求医不如求己》和中里巴人，已经成为了一种文化现象，这种现象让国人在热情迎接2008这段特殊的日子里，和迎奥运一起为时代所见证，并将对我们未来的生活产生深远的影响！

谢谢两位！

摘自《中华中医名流》杂志

《求医不如求已 2》读者文摘

一条小鱼儿：

　　读郑老师的文章已半年有余，感动于老师的无私，时常为我们端出丰盛的"美食"。面对如此盛宴，我们不妨选上一款最适合自己的"营养套餐"。我现在为自己选择的一份套餐是：伸懒腰法加推腹法。两个月练下来，不仅精神好，而且脾胃也好起来，从前晚上稍一多吃，胃便一晚不得轻松，可现在它很少再"闹意见"了。而且左手居然长出了3个"月牙"，虽然只是"小荷才露尖尖角"，却也让我兴奋不已。因为三十几年的时间，这是我第一次和它们"谋面"。

芳芳：

　　《求医不如求己》这本书我一看就迷上了，不仅仅是因为里面所说医术的奇妙之处，更重要的是它给了我一个理念——"人的意志力可以让一切重生"。有时候疾病本身并不是最可怕的，可怕的是希望的毁灭。每个人都有生活，郑老师也是凡人，他将毕生所学著书立说，传播健康给众生，本身就是一件造福众生的事。师父已经领大家进门了，接下来的路就应该是自己走路了。

　　好的功法是需要在不断实践中改进的，我们也不妨在期待的同时，把老师的东西真正变成自己的东西。

中医养生：

　　人体各种治疗方法，包括按摩、刮痧、拔罐，都必须基于气血充足的基础上。气血充足以后，治疗只是个辅助，就像河流，如果水源充足，碰到阻塞之处，只需挖开一个小口子，水流就会很容易过去，而且还可以把阻塞冲刷干净。但如果没有水，只是疏通河道，那么河床仍然永远是干涸的。

上市6年：

学习中医，最难的大概就是找穴位，让人无从下手，其实，这个问题很好解决。就拿今天来说，我阅读《求医不如求己》第26页，学习《人体经络是养生治病的最好捷径》，文章介绍了胃经的几个穴位，比如梁丘、足三里、丰隆、下巨虚。可这些穴位怎么找呢？我也头疼。恰好手边有本书叫《图解针灸快速取穴口袋书》，找到第16页，书上说，梁丘，屈膝，在大腿前面，膑底上两寸。我手头又没有尺子，这两寸怎么量啊？其实也简单，伸出我们的手指，四指合拢的宽度就是3寸，有3还不好找2吗？大概一摸，估计差不多。

再者，即便错了，也没有问题，反正我们按摩穴位就好像去给人送礼，送礼送错门，人家不会怪罪，没准还会给我们惊喜呢？正确的善意，定有好报。

我们做事，不仅要举一反三，更重一通百通。接下来，先找犊鼻，犊鼻这个穴位好找，在膝盖下右侧，找足三里就更容易了，顺藤摸瓜，在犊鼻下3寸，也就是四指的距离，上巨虚是6寸，下巨虚是9寸，有3还不好说6和9吗，太容易了！一下就全找到了。而且我可以告诉您，这样量下来比尺子都精确，为什么？我们的身体高低不一，用一把尺子量下来，我如果准，您肯定不准，但我的穴位用我的手量，您的穴位用您的手找，那就都是精确的，这叫做"同身寸"。

我们的身体本来就万法俱足，什么也不缺，只要您伸手，就一定会抱住佛脚。

祖传中医：

脑溢血患者经过治疗，也许性命保住了，但却留下半身不遂的后遗症，尤其是患者的手，总是像握拳似的辦都辦不开。我们家祖传一个绝招，通过按压患者的手指甲根，可以使手伸开，如果每天压一次，经过按压七八次，即使恢复不到原来的程度，但自由伸展是不成问题的。

具体的做法是：施术者用两手的大拇指甲，按压患者的患侧手指甲根，要求是必须压到指甲根上，不能压指甲肉上。位置找好了，再轻轻地一使劲，患者的手指当时自己就伸开了，压的时间不要超过30秒。按压的顺序是：先压中指和拇指甲根，再压食指和无名指甲根，最后重复压中指甲根配合小指甲根，前后共压3次即可。

气运丹田：

读了郑老师的书，手舞足蹈，不能自已，获益良多。某日晨起发现落枕，自然想到取嚏法，搓两小纸棍侍候鼻孔，顷之5嚏后头颈转动顺畅，午间再施同法，肩背酸涩尽去，甚是得意。现已坚持两周早睡早起、敲胆经、揉心包、按太冲、推肚皮、撞大树、伸懒腰、金鸡独立、啖红枣饮宝粥，自觉四肢不冰（自小无论冬夏手脚均冰凉多汗）、脚趾不痒（轻度脚癣多年）、胃口大开（比往日多吃一碗饭，且每到饭点饥饿感明显）。

拜谢两位老师教给我激发人体小宇宙的方法。

topofsummer：

我邻村的一位老太太，今年大约七十多岁，去年年初被医院诊断为恶性口腔癌，最多只有半年的寿命，儿女不敢告诉实情，只是说普通病，过些日子就好，带她逛市区，吃饭馆，也算让她享受了人生。后来只是开了一些药回来吃。农村的老人勤劳朴实，也信以为真，逢人就夸自己的儿女孝顺，带她逛了那么多好玩的地方，吃了那么多好吃的东西。回来以后虽然身体欠佳，但也撑着照常劳动。戏剧性的转变发生在初秋豆子快熟的时候。一天老人在山里劳动，看到绿油油的黄豆，心里突然馋得要命，产生一种非吃不可的冲动。未成熟的生黄豆的豆腥味很重，一般人不会动生吃黄豆的念头，但老人却觉得心里很舒服，就这样馋了就吃，不经意间竟然把病治好了。初冬回医院复查，儿女和医生都不敢相信这是真的，只是还是开原来的药，让她照常吃，当作安慰剂。现在这位老人还活得健健康康。

现代人受"专家"、"权威"的影响太深，完全忽视了心灵的需求和引导，反而不如不识字的乡间老妇人。

翻书等缘：

天有风、热、湿、燥、寒，地有木、火、土、金、水，人有肝、心、脾、肺、肾。古人与大自然对话，于是有了神农尝百草的故事，有了《黄帝内经》的神奇。

亿万年的进化过程中，人类历经了无数次的风雪雷电的击打、霜刀冰剑相逼、病菌进攻，历经无数次火山爆发、山洪地震、台风海啸……人类聪明的身体在这些自然的现象中不断学习，不断进化，并且把相关的知识不断地写入我们的"硬盘"，等待我们遇到同样的情况时随时拿出来应用。

可是，有了电灯、电视、电脑，于是长夜漫漫，我们就无心睡眠；有了汽车、火车、飞机，于是迢迢千里，我们都不用走路；有了空调，我们再不用去树林里乘凉了；有了方便食品，我们的家里就很少动烟火了。

现代文明的发展太迅速了，在眨眼之间一切都已经改变，这改变让从来不曾如此享受过的人们沉浸在现代文明里，却渐渐失去了自己。

祖先留给我们超大的硬盘，储存了海量的信息，可是现代文明却让我们的操作系统退化到"286"时代，于是我们动不动就死机，捧着金子的饭碗，却偏偏要讨饭吃。

讨来的饭当然可以果腹，却不能让你幸福。讨饭的时候态度挺好的，满嘴叫着"老师"、"老板"、"大叔"、"大妈"，一旦好言语换不来饭吃，就破口大骂。其实，旁边树上就有果子，您不懂得摘来吃，还能怪谁呢？

下里巴人：

幅中老师医术精，犹如华扁今复生。

古有神农尝百草，今朝中里显真情。

愿君网上多博客，振我国医百废兴。

待到求医只求已，鲜花赠君同庆功。

依依：

郑老师，我练习您的小周天健身法再加上按摩血海、三阴交、阴谷、隐白等穴位后，困扰多年的功能性子宫出血得到有效控制，经量比原来减少3/4，血色素从8提高到10.3，过去几百副中药没有解决的问题终于得到解决。非常感谢您！

路过蜻蜓：

朋友总说："照你这样注重养生，肯定能长命百岁。"可我的愿望真的和自己长命百岁无关，我也不敢奢望我周围的亲朋好友都能长命百岁，只希望大家活得不那么痛苦和烦恼，生活质量高一些，小毛病少一些，在有生之年能拥有健康。但这个看似不高的要求，其实真的不容易实现，需要很多努力，最重要的还有观念的转变。

什么时候大家"追求健康"的劲头能赶得上"打拼事业"的劲头就好了，别再用"太麻烦了、时间不够""还顶得住、以后再说"等理由来搪塞敷衍。健康不单只是我们自己的事情，我们的健康直接影响到长辈和儿女的身体状况，责任重大，不可推卸，这些都不是仅靠金钱可以解决的。你自己都不懂健康，怎么孝敬老人？怎么养育儿女？用身体为代价去挣钱养家，无异于釜底抽薪。

双豆的眼睛：

敬爱的郑老师，自半年前来到您的博客之后，我就把每天所有空闲时间都用来认真地研读、体会、领悟。我和这里的朋友们一样，对您充满了深深的敬意和感恩，现在我能为您做的，就是把您的这种无私的爱传递出去。于是，我把您的书送给那些生病了的人，每本书，我都会写上这样一句话："它不是药，也许不能治好你的疾病，但是，它绝对会带给你信心和勇气。可怕的不是疾病，是畏惧疾病的心。"我深深地体会到，对疾病的恐惧才是最大的病，足以击倒那些有着健壮身躯的人们。我对我妈妈说："以后您就听我的，您的健康我负责了，我得让您活到一百多岁。"我妈妈乐呵呵地答应了。您让一个女儿对亲人的爱有了可以付出的资本，您让一个普通百姓想用毕生的时间，努力地锻炼自己，将来能帮助更多需要帮助的人。谢谢您！

Wobenbuyi：

　　几个月前偶然看到了中里老师的博客，当时那种豁然开朗的心情，真不是用语言可以表达的。从那时起，我就坚持金鸡独立和敲胆经并行，晚上还坚持推腹。

　　中里老兄的文章通俗易懂，立竿见影，提纲挈领，把艰苦的学习变成愉悦的享受，让人乐此不疲，功莫大焉，善莫大焉！只要思想对路，方法对路，我们真的可以不再求医。

古典风韵：

　　学习《求医不如求己》，我的新发现是：不用每天再做那么多复杂的功法了，以免浪费气血。哪儿感觉不舒服就按揉哪条经走过的路线。身体给你的警示是最准确的，哪里的问题急需解决，身体会最先用气血解决它，这时我们要帮助身体打通那里的经络，助身体一臂之力，那么病情就会很快解除。

lixin22128：

　　西方的医学只治疗生病的具体部位，比方说头痛，他们会给你吃阿司匹林。而阿司匹林并没有摧毁头痛，它只是不让你去察觉到病痛而已，它产生的是一种忘却的作用。

　　如果你去找一个西医，他不会去管头痛的原因，对他来讲，问题很简单："那个症状存在，你就服用这个药，然后那个症状就会消失。"头痛或许会消失，但是隔天你的胃部有可能就会有些不舒服——另外一个症状出现了。

　　经过了这一番的周旋之后，你会变得越来越爱生病，而不是越来越健康，有时候小病反而被搞成大病。当身体有任何疼痛出现，你就立刻服用什么药物来抑制它，总有一天，所有的疾病都会累积在一起，以一种更有组织的方式呈现出来，它们手牵着手，已经形成了一个军队在攻击你，那就是癌症。

杨树的眼睛：

我觉得大家之所以对待身体没有那么多的耐性，还是和心态有关系。以前的我，总觉得工作太忙，事情太多，可以不在乎身体的不适。现在社会竞争这么激烈，有太多的不舍，促使我们忽视了我们身体的需求。这不是一两个人，而是大多数人。我们就像掉进温水里的青蛙，欲罢不能，继续被煎熬着。

花十分的精力在工作上，还不如把三分留给自己，用七分的精力或许可以把工作做得更好。在身体面前不要逞强，有些朋友不敢正视自己的身体，还是应该积极选择一项适合自己的运动，可以使人精力更加充沛，身体强壮了，还愁干不成事业吗？

好好活着：

现代医学有好的一面：直观，讲求证据；但也有它不好的一面：看事情太缺乏整体观了。连我这个学西医十几年的人都看出来了，很多问题的考虑方式太死脑筋。其实换个角度考虑问题可以有完全新的一片天空，科技毕竟不等同于医学。

医学包括的层面远超出科学的范围。而现代西医在某些方面发展的则是科技，而不是医学，凡是硬件有问题，可以很好解决，遇到软件的问题，西医的治疗还是摸索阶段，没有中医几千年数不清的真实病例积累的经验更有说服力，中医比较高明的是治疗的思想。中医本来就不能用科学范畴来概括，它是一门博大的学问，是一门教人如何好好活着的学问！

Fy2045：

养生治病要从四个方面入手：修心，修身，饮食，良好的生活习惯。其中以修心最为重要。有句话叫：信则有，不信则无。这充分说明了心态的重要性。也可以这么说，凡所有病皆为心病。心病中以"贪"最为突出。"少则得，多则惑"，切记，切记。

《求医不如求已 2》解惑录

可人问：

血压低怎么办？

Helen答：

煮冰糖、莲子、银耳、大枣粥，空腹吃，连续一周会有改善。我10年前血压低，就是这样治好的，供您参考。

心绞痛问：

最近心绞痛，查出冠状动脉堵塞，请问练什么功对此病有帮助？

NXR答：

经常按摩心经和小肠经，推腹及按摩太冲及胆经的阳陵泉，心悸、心慌的时候可以按压左边手心的内劳宫及从太冲朝行间4穴按摩。经常刮刮心包经，但要记得备上人参生脉饮及丹参滴丸，以免心血不足。

飞儿问：

太冲穴有什么作用？

中里巴人答：

除了可以消气，太冲穴还有其他很多的功能。比如说发烧了，就是肝火引起的，揉太冲穴就可以把火泻掉了。另外，有人一生气手脚就拘挛了，像这种问题，按人中穴不管用，因为不是动脉和人脉阴阳不调造成的，而是由于肝火过旺、肝风内动引起的，这时候一掐太冲穴马上就能缓解。还有很多小孩有多动症，这也可以从太冲穴找到源头。由此可见，太冲穴是非常值得大家重视的穴位。

罗隐问：

　　老是胃疼怎么办？

中里巴人答：

　　可以揉"地筋"。另外，胃经的足三里、下巨墟，对付胃疼也很有效。

玫瑰问：

　　我以前有十二指肠溃疡，现已治好，但还是常常感到腹部胀气，用手摁腹部会打嗝，腹胀暂减，但很快腹部又会鼓鼓的。呃逆则是突发性的，短则几小时，长则几天，受寒、紧张、劳累时易犯，对寒气尤为敏感，就算腿受了寒，也会嗝声连连，受暖时会好些。

中里巴人答：

　　打嗝之症就是胃部胀气作怪，不下行而上逆，病在小肠。推腹法通腹除胀；金鸡独立引气下行；胃经的足三里、下巨墟都是除胀要穴；加味保和丸和木香顺气丸也是通气良方。坠足法和撞丹田，也都对此有效。就连治感冒的"取嚏法"，也是《黄帝内经》用来专治打嗝的，您也不妨一试。记住，只要能放出响屁，此疾便从此绝迹。

Lszylx问：

　　我是容易紧张、郁闷、爱生闷气的人，一年前腹泻、胃痛，吃了一段时间中药后胃不痛了，却开始痒起来，痒的时候是一个点，每天的位置会不太一样，而且经常打嗝，人也比较瘦，请问要怎样治疗？

一堂答：

　　可以先从小腿入手按摩脾经的几个重点穴位，每天有空做一次，再加上敲打小腿前侧胃经与肝经经过的地方，至少100下；经常按摩太冲穴对治闷气有效果，还要经常敲胆经。还有，你也要注意自己的性格，其实你就是把脾、胃都调理健壮了，脾气不改，身体照样会继续受罪。

另外，饮食上一定要注意，多吃适合自己的东西。吃饭一定要细嚼慢咽，对你的胃绝对有好处，这同时也是调理个人性格和修养的方法，好处很多。

Xh问：

我老公患慢性鼻炎已有好几年，而且他胃里像是有水，拍拍就能感觉得到，而且喝完酒后，全身发热，只有胃摸着是凉凉的。我儿子上个月也感冒了，流了半个月鼻涕，请问有什么办法吗？

好心人答：

胃中总凉可吃附子理中丸。胃中存水的人，就不要喝太多的水了。参苓白术丸、玉屏风散都有健脾去湿之效。平日吃山药薏米粥也可健脾去湿，利于消除胃肠中的浊水。慢性鼻炎是脾肺两虚之症。常流清涕为肺气不足，肌表有寒，可常用取嚏法。补中益气丸也有补脾肺之效。常吃大枣可以改善过敏体质，对慢性鼻炎有辅助疗效。

Yumeijade问：

一咳嗽肺就病，怎么办？

Helen答：

揉肺经的经渠穴和大肠经的偏历穴，有迅速止肺痛的效果。

如云问：

我人瘦，每日早上大便稀溏，不能吃冷东西，一吃准拉肚子。晚上常常一夜睡不到几个小时，经常夜里三四点左右就会醒来，近日我们这儿下小雨，她晚上极烦闷，夜里醒来后胸间膻中周围常常出汗。怎么办？

暖风答：

睡前服牛黄清心丸，白天服参苓白术丸。

加油太古问：

有一个治疗肾虚、阳痿、早泄的好方法，我试了一下感觉很好，但不知科学否？方法很简单，每天坐着配合呼吸做20分钟缩肛，要用力。我以前性生活10分钟，现在随随便便都能达到半小时以上！

重阳道士答：

应该是有效的，练瑜伽时老师常说提肛可以提高性能力，不管是男还是女。对于女性来说可以提高阴道的收缩性，男性则可以刺激海绵体。

小叶蓝问：

近一年来眼睛又痒又涩，看了很多医生都说是结膜炎，点了眼药水，当时管用，过了一段时间就又犯了。请问如何能缓解痛苦？

木兰心语答：

揉胆经的风池、风市穴和足底眼睛反射区，效果明显。我的朋友这样做了一周，就解决了眼睛痒和涩的问题。

小花猫问：

我多年以来几乎都是用一个鼻孔呼吸，老是左边堵塞，怎么办？

鱼刺答：

在《膀胱经——人体最大的排毒通道》中就有解决办法，试试按揉腿上的委中穴，一定有效。

苦恼人问：

有了过敏性鼻炎怎么办？

有心人答：

用"取嚏法"，所用的工具最好用吸管剪成细丝，两个鼻孔同时使用。容易被水沾湿的材料（如手纸等）最好不用。

还有，脚拇趾外侧的隐白穴，可以每天坚持按揉10分钟，不过按摩此穴所需时日比较长，需要有耐心，只要坚持，症状都会有不同程度的缓解，直至慢慢消失。

游客问：

为什么眼睛经常都带有眼屎？

ZY答：

这是肝有湿热。多揉肝经上的曲泉穴，脾经上的阴陵泉、三阴交。

Deur问：

我老公迎风流泪，吃过两次明目地黄丸后上痰，而且头痛，他很胖，以前抽烟时痰很多，但戒烟已有一年了，平日已经不上痰了。这种情况怎么办呢？

Dalyan答：

地黄丸是滋阴的，根本就不适于湿气重、有痰的人。脾胃生的痰为湿痰，胖人多爱生湿痰，自然不可吃六味地黄丸。

求是问：

请问慢性咽喉炎，咽喉有异物感，早上咳嗽、浓痰，该怎么办？

明灯人答：

取肺经的合谷、曲池，大肠经的颊车以及胃经的丰隆进行按摩。

小女子问：

经期能不能练功或按摩？

中里巴人答：

如身体太虚或本来经量就大，就别练了，若是月经下得不顺，练练正好活血化瘀，且效果比平日更好。

龙雨问：

按摩三阴交穴，开始很痛，两天后好转，但白带中出现褐色分泌物，这是什么原因？

夜晚的彩虹答：

若按摩后白带增多，就继续按，同时配合丰隆、阴陵泉以及足底下身淋巴结反射区。分泌物增多是体内水湿从这个渠道排出的现象。

Phoenix问：

我产后肥胖（生产完将近4个月，体重比产前增加10公斤）。练习《人体使用手册》书中的一式三招近两个月，但腰部、臀部和腿部水肿仍然相当严重。想请教有无其他方法可以帮助我摆脱肥胖？

中里巴人答：

如果是腰部、臀部、腿部水肿明显，显然是膀胱经阻塞造成，属脾肾两虚之症。如果同时有尿少、怕冷、腰酸的症状，可选择中成药桂附地黄丸。如果会刮痧，则将后背整个膀胱经由脖子到臀部一直刮下来。还可选择食疗法，取淮山药、薏米仁等量打成细粉熬粥，有健脾利水的功效，每天服一小碗即可。平日还可服些冬瓜、萝卜等，有利水通气的作用。如不爱喝水，则尽量少喝，免得增加肾脏负担，使水肿加重。还可选用膝盖内下方的阴陵泉，足内踝上的三阴交、复溜，都有很好的利水消肿功效。

望穿秋水问：

来月经始终不正常，尤其最近3个月，淅沥不尽，甚至出现上次还未完，这次又跟上的情况。看先生的书上有类似症状用的是补中益气丸、八珍汤、三七粉，想试一试行吗？

蒲公英答：

1. 从补气血开始，敲胆经，喝山药薏米芡实粥，天天泡脚，水面应高过三阴交，水温40℃左右。水里加少量盐，手也可以一起泡。

2. 切忌腰部受寒！身体状况好时，可在脊柱腰部正中及两侧拔罐，开始时不要拔得太狠。

3．早晚敲带脉100下以上，敲胃经，大腿正面到脚面，特别是膝盖和膝盖上面，月经不调多半是胃经的问题——我也是从郑先生的博客文章中查到的。

4．十病八寒，少穿凉鞋，短裙，特别是长期在空调环境里上班的人，经期更要注意防寒。

5．病不是一天得的，而是你以前不良习惯积累的结果，所以也不可能说好就好，需要慢慢来。先搞清病的起因，多注意调整，有一个好的心态最重要。

巴布问：

我产后一直少奶，还经常腰酸腰痛，该怎样调理呢？

中里巴人答：

山药薏米粥是最为平和的药，本身也是最好的粮食，什么时候吃都无妨。少奶是由于脾不生血，山药薏米粥最是健脾生血，可常吃。若肾虚腰痛，还可从超市买来芡实打粉熬粥，补肾健脾的功效也非常好。腰酸可在酸痛处拔上真空罐，同时按摩脚踝处的太溪穴、复溜穴，腰痛很快就好。

环绕地球问：

我女儿7岁半，从小就排便不好，一般2~3天才便一次，而且每次都费尽力气，睡觉少、近视，应该吃哪些药呢？

中里巴人答：

排便差通常是脾虚引起，给小孩吃山药薏米粥最为稳妥。睡眠少通常都会肝火较旺，石斛明目丸有去肝火、明目的功效。

爱儿问：

我儿子今年快两岁了，睡眠一直不太好，夜里总是哭醒，饭也比同龄人吃得少，且爱流口水，嘴巴和下巴处爱起湿疹，身上偶尔会长癣，但体质还算不错，很少生病。请问应该如何调养？

分享答：

小儿按摩法与成人大不相同，自成一体。用"补脾经"之法，还有"运八卦"等方法，可以较快改善婴儿体质。

爱弟弟问：

我弟弟上个月感冒，一直拖着，现在每天都干咳，晚上比白天厉害，去医院检查也没有发现气管发炎之类的，请问有啥方法可以止咳啊？

好简单答：

可服痰咳净并按揉太冲、丘墟以及三焦经的支沟。

健康是福问：

宝宝发烧已经5天了，近两天又伴有咳嗽，较以往的感冒不同，不流鼻涕，也不打喷嚏。已经在医院打过5天青霉素了，还加了抗病毒的药，可起色并不大，眼看着孩子难受，心里很着急，望老师给予指点帮助！

分享答：

我儿子前段时间发烧39℃，我按他的风池穴，只轻轻地按了一下他就喊痛，所以确定是肺经受凉了。给他在面部按摩，推前额，分推眉骨各100下，向外揉太阳穴50下，又分别向指尖方向推无名指，清肺经，最后，清天河水300下，睡前还烫了脚。大概1个小时左右，他开始出汗，一夜换了3块毛巾。到凌晨，烧就退了。我没给他吃一点药。

一开始选择不吃药，是要咬着牙才能决定的，并且建议发现孩子发烧就马上采取措施，孩子越小，按摩的效果越好。

爱儿心切问：

我儿子小时候得过荨麻疹，这两年常复发。身上一片一片，痒得难受，怎么治？

程成答:

　　这是由于肝内毒素过多,都要从皮肤排出去,所以总发。可以经常按摩肝经、肾经,早睡早起,营养均衡些。另外,在背后膀胱经刮痧,疏通排毒通道,一周一次,背痒时也可刮痧。

心焦问:

　　我儿子17周岁,镜下血尿时轻时重,已有近十年的时间,近一年血尿在活动后或感染后明显加重;白天重,早上轻。另外,尿频,色黄,排尿时不顺畅。我儿子是肾阴虚还是肾阳虚?固涩药可用吗?应怎么做才好?

清静答:

　　从孩子的情况看,哪里也不虚,只是有些错乱而已。先从足底反射法开始较为方便。自己学着按就行,很简单,效果却很显著。而且,郑老师的书中有调节经络的方法,都可以尝试使用。17岁,正是生长时期,气血旺,调理最易见效。固涩药慎用,平日可吃点参苓白术丸,较为平和。

虚心问:

　　请问孩子喉咙上火、沙哑,应当按摩哪个穴位?

闻金鸡起舞答:

　　可按摩脚上的喉、气管、胸部淋巴反射区。

心急问:

　　按摩穴位从很痛到没有一点痛感,是由于穴位不敏感了还是说明穴位反射的病痛好了?不疼了还需不需要继续按摩?

中里巴人答:

　　由痛到不痛说明效果是很好的。为什么痛,为什么不痛,应该把原因搞清楚。中医讲,不通则痛,而如果完全不通就不痛,因为完全不痛就没有传导了。而体质比较虚弱的人就是这样,比如说皮肤很松软,哪里都不痛,但是又确实有病，这样的人怎么办？可以先拔罐，有的人拔不住，因为里面没有气血。第一天拔可能连印都没有，拔几天以后，可能有粉红色的印，然后逐渐地深了，气血给过去了，拔了以后再按揉穴位感觉就比较明显了，这样把气血逐渐导引过去。还有的人，按摩的时候很痛，明显地感觉这块比别处要硬，一定要把硬的地方揉开以后变得松软，有弹性了才不会很痛，这块穴位就通了。如果穴位通了，就不要老按这个穴位，因为穴位在出生的时候本身就是畅通的，有的地方功能差了或者堵塞住了，揉开必然自己会畅通，没必要天天老揉这个地方。可以根据自己的情况，看看是否还有其他的反应，再揉其他的地方。揉一段时间，如果没反应了，这就证明这个穴位现在基本上不需要再揉，可以改揉其他穴位了。

白发愁问：

有没有治疗白发和脱发的方法？

没事没事答：

发为血之余，血不能到达脑部，所以白发或者脱发。至于为什么不能到达脑部，要么血不够，要么气血运行的道路不够通畅。血不够就要补肝肾，调脾胃，驱除障碍。

照空堂主问：

我在心包经刮痧，一片青紫，是否湿气太重？另外郄门、二间、商阳、列缺、通里等穴奇痛，是什么原因？

分享答：

这说明有淤滞。总之把痧刮出来，把痛点按到不痛，经络通了，您将来可能会得的病就没了，管它是什么原因呢。

loveti问：

我的身体症状如下所列，请问有什么办法可以调理吗？

1.怕冷。冬天手脚冰冷，如果晚上不烫脚的话，一整晚都不会热。

2.食欲过旺，爱吃甜食，肉类，不论冬天还是夏天都爱吃冰淇淋。

3.右腿经常酸，尤其是到了阴天或是下雨的时候，感觉整条腿上的筋都在酸，酸到骨髓里的感觉，整夜都睡不好。

中医爱好者答：

1.怕冷，应该补气血，练练金鸡独立。

2.食欲过于旺盛，应是脾虚。可以吃山药薏仁粥，吃了肉之后要吃大山楂丸，还可以代替想吃的甜食，一举数得。

3.腿会酸，应该是体内有湿气，可以去拔罐。

担心问：

我长期肝火旺，脾胃虚弱，习惯性便秘，体型较胖，大约一个多月以前开始敲胆经，压心包经、肝经，并把睡觉时间从凌晨两点提前到了每天的10点半左右。自我感觉很好，体重也轻了一点。

可问题是，我每次不管按压什么穴位，在这个穴位的附近就会鼓起一个很大很明显的包，肉色，按压无痛感；而在按压膻中穴后，胳膊上的心包经还有任脉上就会出现几个很痛的包（可能是淋巴结，与前面肉色的无痛感的包有很大区别）。这些包出现得太快太明显，有点怕了。请问这两种包为什么会出现啊？我该怎么处理这些包呢？

心宽体胖答：

不用担心，你要继续坚持现在的习惯：早睡，敲胆经，按摩心包经，保持心情愉快。别担心这个，我感觉是你的身体太虚了，可能这些经络都不太通畅。你可以轻轻按摩，别去管那些包包。我自己在按心包经的时候，附近皮肤也会出现很多红色的痘痘，后来自己就没了。

爱老公问：

我老公爱出汗，喝了山药薏米芡实粥，还有敲胆经、肝经，但现在每晚睡眠不好，这是为什么呢？用什么方法能调理过来呢？

夜晚的彩虹答：

汗流不止，多为气虚不固，可以经常喝些玉屏风颗粒。敲肝经、胆经后睡眠不好有两个原因，一是三焦经和心包经不通，二是疏通肝经、胆经后的排病反应，身体要把原有的垃圾翻出来，自然会弄得鸡犬不宁，解决方法，在胆经一文里已经描述。在吃补气血药物的同时，可以每天找个喜欢的运动，要自己全身热一段时间，出透汗，晚上10点多就睡觉，保持心情愉快。

花玄子问：

一般都认为饭后不宜按摩经络，但是我在饭后胃里不舒服，老有气往上返和胀的时候，按摩脾经胃经，很快就打一个大嗝或者放屁，舒服很多。这是怎么回事呢？

中里巴人答：

通常饭后不按摩，是担心把胃的气血分散开，影响食物消化，可您脾胃较虚，按摩脾经胃经，反到把气血集中到脾胃来了。

稻谷壳问：

做过胆囊切除手术的人敲胆经还有用吗？

一堂答：

胆囊不过是胆经上的一个果子，果子摘了，经依旧在，您说有没有用呢？

高中生问：

我17岁，明年准备高考了，压力特别大，觉得自己肾虚，总是没精神。请问有什么办法？

中里巴人答：

17岁的人，气血还处于生长状态，这时候通常没有什么真正肾虚的问题，而且调理经络也很容易取得效果。可以每天晚上在后背的肾俞拔两个罐。通常觉得自己肾虚的人，其实就是心虚，心血不足的人一定要多揉劳官。

崇拜郑老师的人问：

我有时老有要精神分裂的感觉，特想大喊大叫，摔东西，浑身发抖，尤其生气时感觉神经要错乱，怕别人说我，就极力控制，很痛苦，怎么办？

无聊答：

揉太冲到行间和脚底的地筋，坚持下去就会有效。

Ajiao问：

手指甲上面突然出现了凹凸不平的竖条纹，这是身体有啥问题？

翻书等缘答：

指甲上出现数条棱状的纵道的人，一般可能患有神经系统衰弱等脑系统疾病或者酒精、药物中毒。

古柏问：

更年期的典型症状是心慌、气闷、失眠。这时该如何调理？

中医爱好者答：

敲打或按摩三焦经，通常效果很好。可以一试。

七月问：

最近总是头晕，怎么办？

中医爱好者答：

多半是因为心脏供血不好，仔细按摩心包经以及三焦经上的支沟、天井穴等沿线疼的地方，这样可改善供血。另外也可用刮痧改善。

lamgald问：

怎样排身体的毒？

中里巴人答：

先敲带脉，再敲胆经，敲后拨动胆经的阳陵泉，拨动时如脚部有麻感，可使毒素从脚尖排出；如没有麻感，则继续敲和拨动，一直到有麻感为好。

查尔斯cat问：

我就是不出汗，再热的天也不爱出汗，总是憋在心里很不舒服，我需要做些什么吗？

中里巴人答：

若您不爱出汗，可在后背先刮痧，也可刮刮大肠经，然后多揉小腿脾经，皮肤干就要多出汗。

胆小妹妹问：

我胆子小，遇事总是心里发慌，事情没有解决，心里总是不踏实，请问，怎样做才能消除此症状？

中医大哥答：

心慌的重要原因是心脏气血不足，症在心经和心包经，可揉心经的少海、神门，心包经的劳宫和内关。

心焦问：

口臭是什么原因引起的？

无聊答：

口臭一般有两种原因，一种是脾胃功能弱所导致；另一种口中有异味，伴牙龈出血有腥味，是心包经堵塞导致。对照看看你自己的情况，如是前一种，则可服加味保和丸，同时敲打胃经，揉脾经的公孙穴；如是后一种，则沿心包经刮痧。

瑜伽人问：

我有个朋友，胸口（近剑突处）长了一个小包，像指甲大，奇痒无比，尤其在吃辣椒时，就更甚，自己用热毛巾敷，似乎暂时可以缓解，请问这个问题应如何进行采取自救？

中医人答：

牛黄清心丸，同仁堂的，一盒6个，一次1～2丸，远饭或空腹服用。心火盛，牛黄清心，去心火，补脾土，吃到不痒为止。

小媳妇问：

我婆婆后脑勺偏下处长了一个硬包，有好几年了，现在已长到直径有1厘米左右，且背上中部有一处刺痛直到尾椎处。她心细，爱为一些小事操心生气，请问有什么办法治？

一堂答：

心细的人，劳心过度容易导致背部膏盲痛。这时要重点按摩敲打心包经，前臂内侧靠近手腕部位用力敲打，上臂内侧用力提捏，不必拘泥于穴位。背部脊椎刺痛不好说，若是相应的俞穴痛就好办，可以试试刮痧。

突然疼问：

突然右侧口腔疼痛难忍，而且疼痛愈来愈剧，估计是上火，鼻子也红肿，有点溃烂了，我该怎样办呢？

好简单答：

可以按左手合谷，二间穴。

紧急求助问：

有什么治疗痔疮的简易办法吗？没有便秘现象，但有便血，请老师指教。

别急答：

用纸巾垫住肛门按揉，坚持一段时间。我也曾经为痔疮苦恼过好多年，偶然在一本杂志上看到此法，试之，甚灵。

布衣问：

我最近腰疼，早晨四五点就被疼醒了，有腰要断了的感觉，再也躺不住了。请伸出援助之手，指条明路。

wobenbuyi答：

先在后背整条脊椎刮痧，然后两边的膀胱经也要刮，再细心地刮一下委中穴，若出痧效果就更好了。若属慢性腰痛，多揉膀胱经"飞扬"穴，若是近期突发，就多揉膀胱经的"金门"穴，此外，膀胱经的"昆仑"、"申脉"治疗腰痛效果也很好。还可在痛处拔罐，若是痛点在脊椎上，可多揉一下肾经的"复溜"穴。

玉竹问：

我今年35岁，可眼袋如老人一般，眼窝深陷，睡眠浅，多梦，有时半夜2~4点醒了后睡不着，记忆力下降，精力不足，该怎么办？

解惑答：

您是气血严重不足了，先喝山药薏米粥，加些大枣，以健脾养血，然后练推腹法，强肾法，金鸡独立以及撞丹田，也可敲胆经和按摩心包经。

若水问：

我丈夫的脚底有好多死皮，不知用什么办法治疗？

爱中医答：

气能下行，血不行，脚无血液的润泽，自然会起皮。可以练习金鸡独立，常揉小腿脾经，脚面常涂些硅霜也会有效。

偏爱人间烟火问：

我从小就患湿疹，久治不愈。以前是在身上，现在已经转移到脸上和脖子上。请老师给指点个法子。

翻书等缘答：

中医认为湿疹等皮肤病是风热之邪所导致的，可以采用活血的方法根治，血行风自灭。按揉血海穴十分有效（也可以采取按摩棒等硬物加强穴位刺激力度）。

求医先问己问:

前几天感冒,扁桃腺发炎,我没有吃药,根据自己的状况刮痧,后背大椎及肩膀小肠经,脾经的阴陵泉很疼,我就用手按摩。第二天就消炎了,真的很神奇。但是我怕咳嗽,就每晚喝梨水,结果,反而痰特别多。是否是因为梨水较寒,起了反作用?

Daiyan答:

若脾胃虚寒,则不适宜喝梨水,应选择白萝卜水较为对症。两者皆有化痰之效,但梨水滋阴润肺化痰,萝卜水散寒顺气化痰,一寒一温,当辨别用之。

吹衣袖:

我从事电脑工作多年,身上最严重的职业病就是"鼠标手",即右手腕劳损,时常酸痛困累,用右手做一些支撑动作也感到吃力疼痛,想知道有什么方法可以缓解和治愈?

中医治大病答:

在胳膊上刮痧,胳膊有6条经络通过,或者点按胳膊上的几个重要穴位。我自己的颈椎病和肩周炎就是通过刮痧和按摩胳膊和肩部的方法治愈的。

苦恼问:

本人最近被诊断患了癫痫,已做针灸及每天按地筋、胆经、肝经等,但仍每月会在半夜大发作一次,相当痛苦,能介绍这个病的治疗方法吗?

hadhadl答:

1.多按心包经,防止痰迷心窍。

2.练金鸡独立,压肝经,按太冲穴,热水泡脚,将浊血下引。

3.推腹法化痰湿,喝薏米山药芡实粥养脾胃。

4.一招三式养气血。

《求医不如求己 2》常用穴位使用方法

怎样找穴位：

穴位跟身体其他地方不一样，当身体生病时，穴位会有反应：用手压，比其他地方疼；或者感觉发凉，或者发烫；手指按下去，来回摸摸，里面好像有沙粒或者硬条一样的东西。有时候，穴位上会起红点、小豆豆。这些反应能帮你找到穴位，还能让你发现身体哪儿出了问题。

使用穴位的手法：

（1）点按：找到穴位后，用手指肚儿使劲儿往下按压。如果嫌用手指太累了，用圆珠笔头、钢笔帽代替也可以。不仅能保健，关键时候还能救命，比如人昏倒时"掐"人中，其实就是点按。

（2）揉法：手指按住穴位做回旋转动，就是原地转圈。要注意的是，一直要有向下压的力，让力量透下去。除了手指，还可用手掌、掌根，可以根据身体的不同部位选择。腰背等肉厚、面积大的地方可以用手掌，手上、脚上或者骨头缝的穴位只用手指。

（3）敲打：累的时候想让身体舒服，就要先让经络舒服。攥起拳头，轻重随意，沿着经络走行的线来回敲打。经络通了，疾病也就离你远了。

（4）推法：稍使劲，用手掌或者手指沿着经络移动，腿上的经要由上向下推，胳膊上的经要由下向上推。推法可以推动气血，让全身各个部位都能受益。

（5）灸法：灸法要借用一种中药——艾草，药店里有卖成品的艾条或者艾绒。把艾条点燃悬放在穴位上，或者沿着经络来回移动，艾条与皮肤的距离因人而异，以皮肤有温热的感觉为好。还可以在穴位上放一块硬币大小的生姜片，放一撮艾绒在上面点燃，这又叫"隔姜灸"。

《求医不如求已 2》常用穴位指南

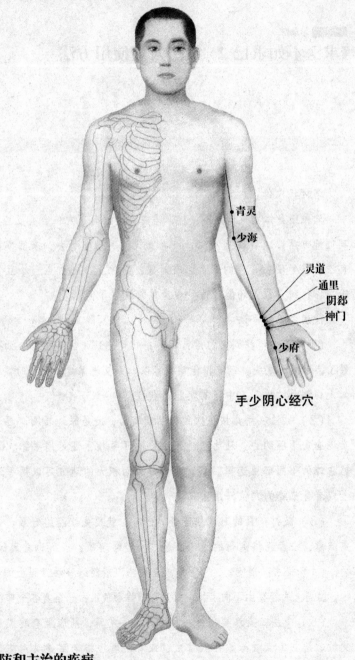

青灵
少海
灵道
通里
阴郄
神门
少府

手少阴心经穴

手少阴心经预防和主治的疾病

心血管病：冠心病、心绞痛、心动过缓、心动过速、心肌缺血、心慌。
神经及精神疾病：失眠健忘、神经衰弱、精神分裂、癫痫、神经官能症。
其他：经脉所过的肌肉痛、肋间神经痛。

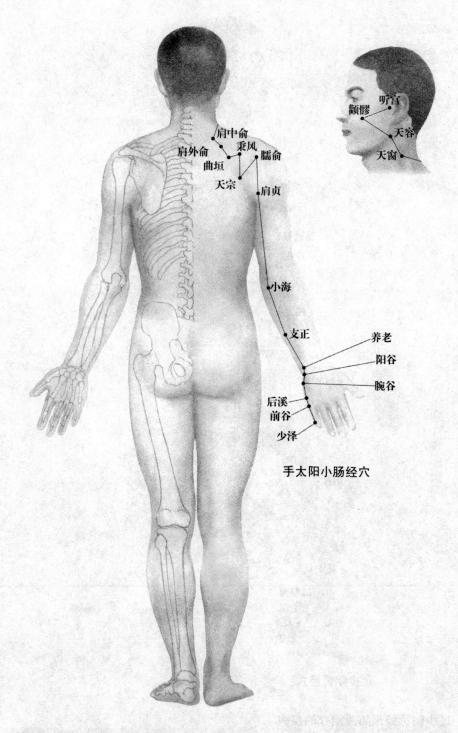

肩中俞
肩外俞　　秉风
　曲垣　　臑俞
　　天宗　　肩贞

颧髎　听宫
　　　天容
　　天窗

小海

支正

　　养老
　　阳谷
　　腕谷

后溪
前谷
少泽

手太阳小肠经穴

手太阳小肠经预防和主治的疾病

五官病：咽痛、眼痛、耳鸣耳聋、中耳炎、腮腺炎、扁桃体炎、角膜炎、头痛。
其他：腰扭伤、肩痛、落枕、失眠、癫痫、经脉所过关节肌肉痛。

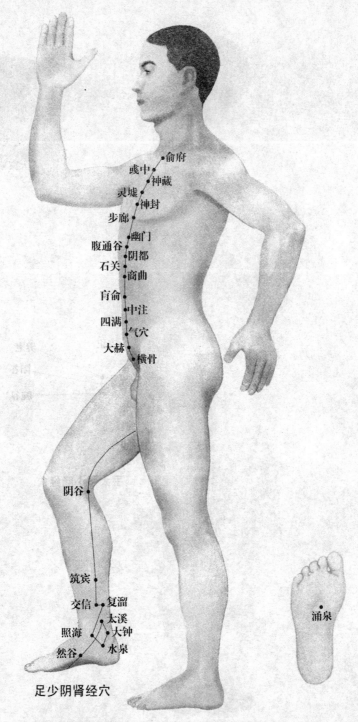

俞府
彧中　神藏
灵墟　神封
步廊
　　幽门
腹通谷　阴都
石关　商曲
肓俞　中注
四满　气穴
大赫　横骨

阴谷

筑宾
交信　复溜
　　太溪
照海　大钟
然谷　水泉

涌泉

足少阴肾经穴

足少阴肾经预防及治疗的疾病

泌尿生殖系统：急慢性前列腺炎、阳痿、早泄、遗精、术后尿潴留、睾丸炎、痛经、月经不调、盆腔炎、附件炎、胎位不正、各种肾炎、水肿。

头面疾病：头痛、牙痛。

其他：消化不良、泄泻、耳鸣耳聋、腰痛、中风、休克、经脉所过的各种关节肌肉软组织病。

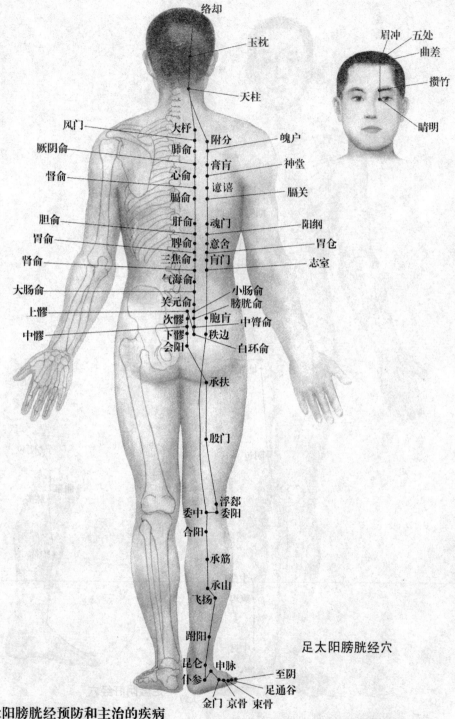

络却
玉枕
天柱
眉冲　五处
曲差
攒竹
睛明
风门
大杼
附分
魄户
厥阴俞
肺俞
膏肓
神堂
督俞
心俞
谚谆
膈俞
膈关
胆俞
肝俞
魂门
阳纲
胃俞
脾俞
意舍
胃仓
肾俞
三焦俞
肓门
志室
气海俞
大肠俞
小肠俞
关元俞
膀胱俞
上髎
次髎
胞肓
中膂俞
中髎
下髎
秩边
白环俞
会阳
承扶
殷门
浮郄
委中
委阳
合阳
承筋
承山
飞扬
跗阳
昆仑
申脉
至阴
仆参
足通谷
金门 京骨 束骨

足太阳膀胱经穴

足太阳膀胱经预防和主治的疾病

呼吸系统：感冒、发烧、各种急慢性支气管炎、哮喘、肺炎。
消化系统：消化不良、腹痛、痢疾、胃及十二指肠溃疡、胃下垂、急慢性胃肠炎、肝炎、胆囊炎。
泌尿生殖系统：肾炎、阳痿、睾丸炎、闭经、月经不调、痛经、盆腔炎、附件炎、宫颈糜烂。
其他疾病：失眠、腰背痛、坐骨神经痛、中风后遗症、关节炎、经脉所过的肌肉痛。

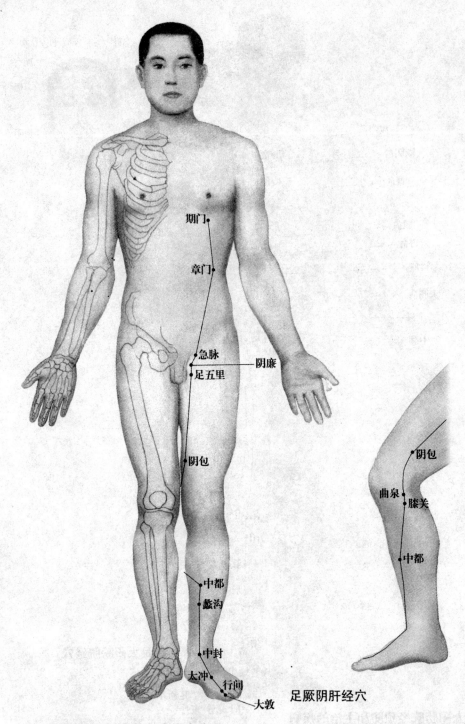

期门
章门
急脉
阴廉
足五里
阴包
阴包
曲泉
膝关
中都
中都
蠡沟
中封
太冲
行间
大敦

足厥阴肝经穴

足厥阴肝经预防和主治的疾病

生殖系统疾病：痛经、闭经、月经不调、盆腔炎、前列腺炎、疝气。
肝胆病：各种急慢性肝炎、急慢性胆囊炎、肝脾肿大、抑郁症。
其他：头顶痛、头晕眼花、各种眩晕、癫痫、胃痛等。

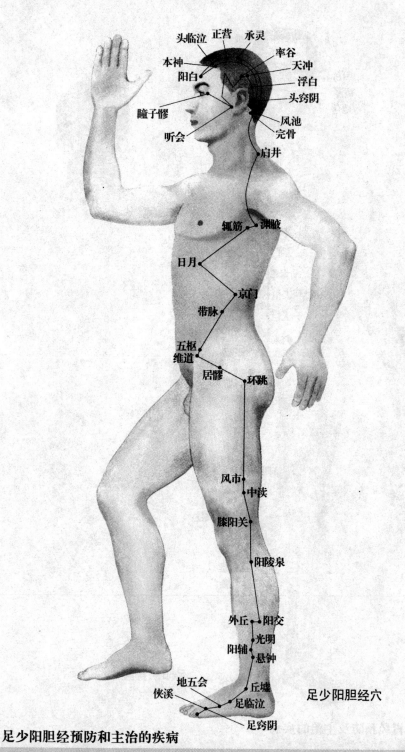

头临泣　正营　承灵
本神　　　　　率谷
阳白　　　　　天冲
　　　　　　　浮白
瞳子髎　　　头窍阴
　　　　　　风池
听会　　　　完骨
　　　　　肩井

辄筋　渊腋
日月
　　京门
带脉
五枢
维道
居髎　环跳

风市
中渎
膝阳关
阳陵泉
外丘　阳交
　　　光明
阳辅　悬钟
　　　丘墟
地五会
侠溪　足临泣
　　足窍阴

足少阳胆经穴

足少阳胆经预防和主治的疾病

肝胆病：急慢性胆囊炎、胆绞痛、各种慢性肝炎。
头面五官病：头昏、偏头痛、面神经炎、面神经麻痹、耳鸣、耳聋、近视。
其他：感冒、发热、咽喉肿痛、胁下痛、经脉所过处的肌肉痛。

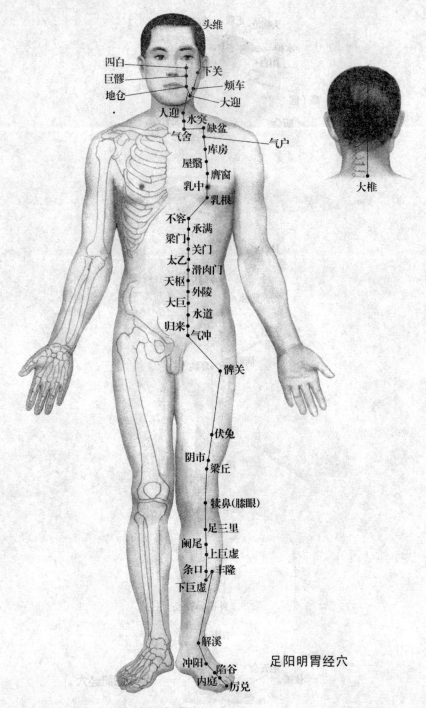

头维
四白
巨髎
地仓
下关
颊车
大迎
人迎
水突
气舍
缺盆
气户
库房
屋翳
膺窗
乳中
乳根
不容
承满
梁门
关门
太乙
滑肉门
天枢
外陵
大巨
水道
归来
气冲
髀关
伏兔
阴市
梁丘
犊鼻(膝眼)
足三里
阑尾
上巨虚
条口
丰隆
下巨虚
解溪
冲阳
陷谷
内庭
厉兑

大椎

足阳明胃经穴

足阳明胃经预防及主治的疾病

胃肠道疾病：小儿腹泻、胃胀、胃痛、胃下垂、急性胃痉挛、胃炎、胃神经官能症、胃及十二指肠溃疡、消化不良、食欲不振、便秘、泄泻、痢疾、胃肠蠕动过慢。
头面疾患：痤疮、黄褐斑、头痛、眼痛、牙痛、面神经麻痹、腮腺炎、咽炎。
其他：中风偏瘫后遗症、慢性阑尾炎、乳腺增生、白细胞减少症、经脉所过的关节肌肉病。

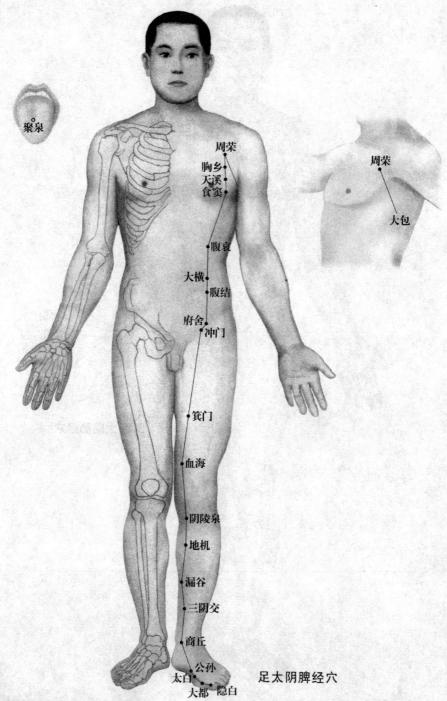

聚泉

周荣
胸乡
天溪
食窦

腹哀

大横
腹结

府舍
冲门

箕门

血海

阴陵泉
地机

漏谷

三阴交

商丘

公孙
太白
大都　隐白

周荣

大包

足太阴脾经穴

足太阴脾经预防及主治的病症

消化系统疾病：消化不良、泄泻、痢疾、便秘。
妇科病：痛经、月经不调、闭经、月经提前或错后、盆腔炎、附件炎。
男科：急慢性前列腺炎、水肿。
其他：周身不明原因疼痛、关节炎、经脉所过的肌肉软组织疾病。

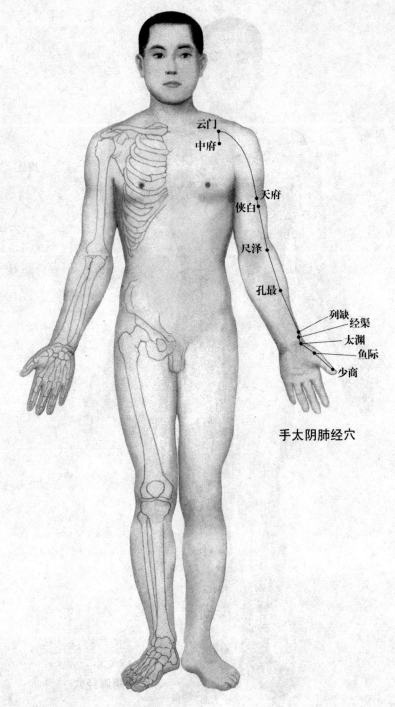

云门
中府
天府
侠白
尺泽
孔最
列缺　经渠
太渊
鱼际
少商

手太阴肺经穴

手太阴肺经预防及主治的疾病

呼吸系统疾病：各种急慢性气管炎、支气管炎、哮喘、咳嗽、咳血、胸痛。
五官病：急慢性扁桃体炎、急慢性咽炎、咽痛、鼻炎、流鼻血。
其他：经脉所过的关节屈伸障碍、肌肉疼。

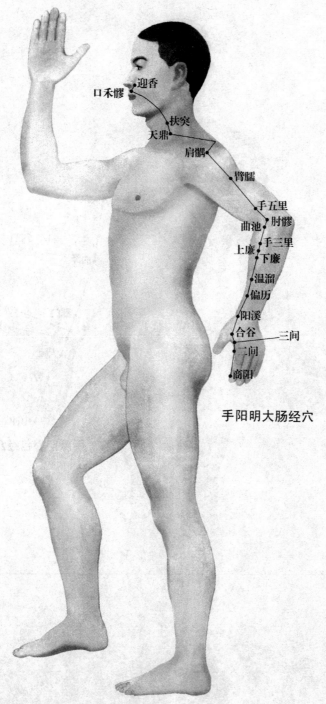

口禾髎
迎香
扶突
天鼎
肩髃
臂臑
手五里
肘髎
曲池
手三里
上廉
下廉
温溜
偏历
阳溪
合谷
三间
二间
商阳

手阳明大肠经穴

手阳明大肠经预防及主治的疾病

呼吸道疾病：感冒、支气管炎、发烧、头痛、咳嗽。
头面疾病：头痛、面神经炎、面肌痉挛、面瘫、牙痛、麦粒肿、结膜炎、角膜炎、耳鸣、耳聋、
三叉神经痛、鼻炎、鼻塞。
其他：颈椎痛、皮肤瘙痒、神经性皮炎、荨麻疹、经脉所过的关节活动障碍。

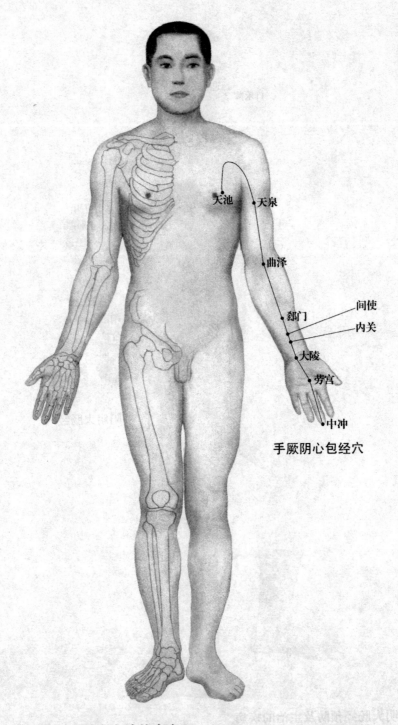

天池　　天泉

曲泽

郄门　　　间使

内关

大陵

劳宫

中冲

手厥阴心包经穴

手厥阴心包经预防和主治的疾病

心血管系统：心慌、心动过缓、心动过速、心绞痛、心肌缺血、胸闷。
其他：恶心、呕吐、抑郁症、中暑、休克、小儿惊风、胃痛胃胀、经脉所过的关节肌肉痛。

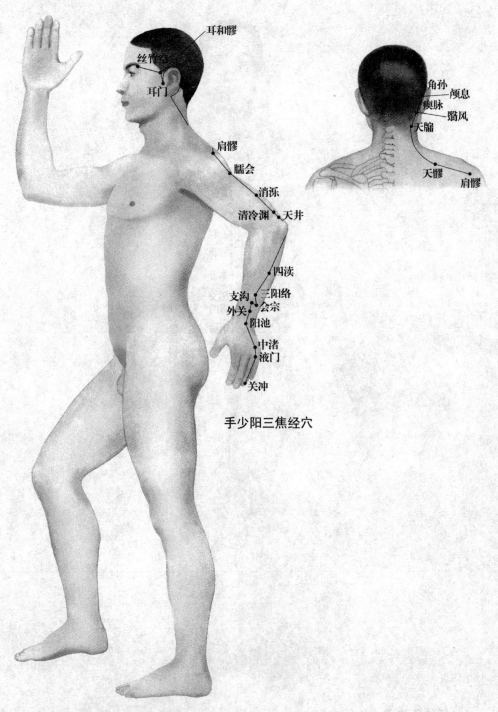

耳和髎

丝竹空

耳门

肩髎

臑会

消泺

清冷渊　天井

四渎

支沟　三阳络

外关　会宗

阳池

中渚

液门

关冲

角孙　颅息

瘈脉　翳风

天牖

天髎　肩髎

手少阳三焦经穴

手少阳三焦经预防和主治的疾病

五官病：耳鸣耳聋、腮腺炎、偏头痛、面神经炎、面肌痉挛。

其他：肋间神经痛、便秘、感冒、中风后遗症、肘关节屈伸不利、经脉所过的关节和肌肉软组织病。

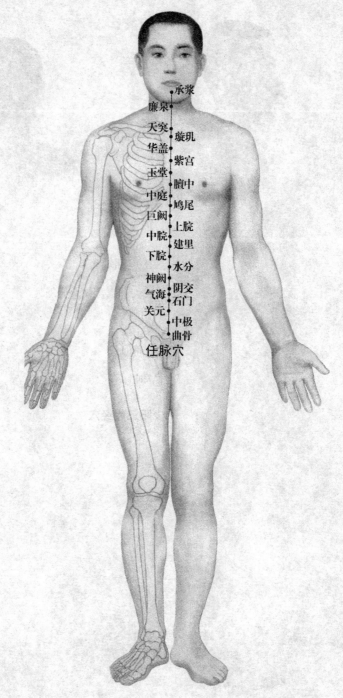

承浆
廉泉
天突　璇玑
华盖　紫宫
玉堂　膻中
中庭　鸠尾
巨阙　上脘
中脘　建里
下脘　水分
神阙　阴交
气海　石门
关元　中极
　　曲骨

任脉穴

任脉预防和主治的疾病

泌尿生殖系统：前列腺炎、阳痿、早泄、盆腔炎、附件炎、白带病。

消化系统：胃痛、消化不良、胃溃疡。

其他：失眠、胸闷气短、腰痛。

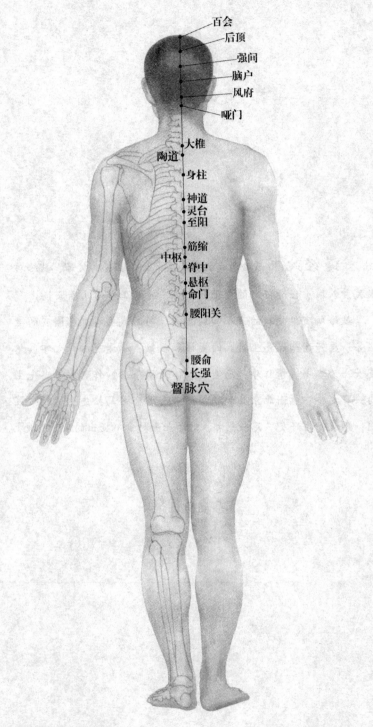

百会
后顶
强间
脑户
风府
哑门
大椎
陶道
身柱
神道
灵台
至阳
筋缩
中枢
脊中
悬枢
命门
腰阳关
腰俞
长强
督脉穴

督脉预防和主治的疾病

脊柱病：腰肌劳损、腰椎间盘突出、强直性脊柱炎、颈椎病。

其他：小儿消化不良、头痛、发烧、中风、脱肛、失眠多梦、记忆力减退、退行性关节炎、胆囊炎。

谨经此书献给为我操劳半生、含辛茹苦的父母，献给对我关爱入微、任劳任怨的妻子和全力支持我工作的儿子。

献给所有偏爱我的亲人和朋友们。同时我要特别感谢我的老领导、恩师谢阳谷先生对我的支持和鞭策；感谢芝加哥大学高慧英女士为本书真情作序；感谢《人体使用手册》作者吴清忠先生的一贯支持；感谢北京共和联动图书有限公司马松先生的精心策划；感谢我的好友罗笑东先生、刘彦女士对本书提出的宝贵意见。

菩萨合掌求菩萨，求医不如求自己
改变中国人健康生态之第一方案

这是一本当代中医养生专家中里巴人所写的养生秘笈，这是一本给我们生活带来了福气的书。

在书中，医德双馨的中里巴人告诉大家：一、"养生胜于治病"，不要等到失去健康的时候才去珍惜健康；不要借口忙，就无暇顾及身体，那样你永远不会有空闲。记住：马上行动！二、"疾病不是我们的敌人"，你若想生活幸福，就要学会从容面对疾病，学会与疾病结伴而行。疾病是人生的一道必选题，同时又是最好的答案和注释，因为疾病就是命运。

命要活得长，全靠经络养
从黄帝开始，中国人代代相传的养生手法

这是一本介绍通过敲打经络就能预防百病的书，从黄帝开始中国人代代相传的绝妙养生手法。它要为您送上：一、58种常见病和不明慢性病的经络穴位自疗方法；二、一学就会、一用就灵的14条经络养生方法；三、3种最有效的小儿健康推拿指南；四、使用人体经络的8种最简单技巧。

经络的神秘，随着本书一页页翻开的沙沙之声浮现在我们眼前，原来，经络是上天赐予我们人体的大药，原来，人的所有病都是"经络病"，而通过疏通经络就能使病消失无踪。

把健康亲手送给孩子是父母的最大福气
增强中国孩子体质和智力的最佳方法

本书是萧言生继《人体经络使用手册》后为中国的父母和他们的孩子写下的又一部健康宝典。

作者认为，发育迟缓、肥胖、性早熟、弱视、遗尿、习惯性感冒、肺炎等好多让父母心急如焚的疾病都可以用经络治好。本书为您奉上如下"宝贝"：一、小儿身上的27个关键穴位，这是保证孩子健康平安的枢纽；二、8套儿童经络保健方案，让你在家中就可轻松为孩子防病；三、45种儿童常见疾病的经络推拿治疗手法，无任何副作用，最科学，最人道。

从黄帝开始，中国人百试百灵的养生手法
疾病有来路，一定有归途

本书为您献上：一、5 种绿色护生方案，其中精采的 15 个保元真穴，带你春保肝，夏养心，秋护肺，冬补肾；二、逐步根除身体上各种不适症状和常见病的 15 种五脏宁穴位平衡法，让你五脏和谐，人体常青；三、27 种女福大穴，悉心呵护女性乳腺、生殖系统，让她们的身体年年春暖花开；四、12 种穴位易容法，由内滋外，让不同年龄段的女性都能容颜明净天然；五、17 种救生穴位法，将各类疑难杂症一一予以化解；六、最易于父母掌握、放心使用的 5 种儿童穴位疗法，可让孩子远离疾病。

为自己健康开光，让生命万寿无疆
从根子上祛除中国人身体内的疑难杂症

本书凝聚了作者十几年独创的各种不生病的方法和治疗众多疑难杂病的奇效良方。书里告诉我们：一、健康从补血开始，补血从食疗和刺激经络开始；二、分清食物的温热寒凉平是补血的关键；三、9 种可以自己制作的补血佳品、3 种择食法、4 条经络疗法，能很快让你根治自己和亲人迁延不愈的心病和身病；四、摸第二掌骨，看舌苔和手相，这是最简单、最快捷、最可靠的自我诊断法。把书中讲到的每一种方法坚持下去，天天健康就是一件轻而易举的事。

菩萨合掌求菩萨，求医不如求自己
奠定中国人健康基石的最终方案

自中里巴人推出中医健康养生秘籍《求医不如求己》后，在广大老百姓中引起了强烈共鸣。

应读者的迫切要求，中里巴人又及时为大家奉上了《求医不如求己 2》，在本书中，他根据人体五脏六腑和经络、天地的神秘因缘，结合《黄帝内经》之养生精髓以及个人的高超医术，总结出了一套适合不同体质、不同年龄人的"一招致胜"特效保健大法，让人人都会使用，并在使用中逐步根除各种疾病，消弭对年老的恐惧，尽享"求医不如求己"的幸福和巨大乐趣。

当孩子的儿科医生、营养大师和早教专家
彻底改善和修补中国孩子的先天之本

本书是马悦凌老师结合自己的亲身育儿经历为天下父母奉上的一部健康育儿福经。书中为您献上：一、7种为怀孕前女性量身定度的补气血家传食疗方，为孩子创造最优质的先天孕育环境；二、9种最简单、最直观的方法，可帮助父母马上判断孩子是否健康和气血充足；三、25套小儿常见病的食疗加经络按摩的特效防治方案；四、9种让孩子身心无忧的胎教、成长秘方；五、一目了然，分类科学、齐全、简单、有效的《食物属性一览表》，让孩子和您天天吃得安心，身体越来越好。

每个人都有不生病的权力
从根子上修复中国人的后天之本

只有从源头上化解了病因，我们才可以安颐舒适，健康长驻。本书为您献上：一、13个健康新观念，告诉您如何正确对待自己的身体；二、13个健康细节，帮您找到致病根源；三、22套特效祛病健身调补方案，让您在多种疾病面前应对有方，从容不惧；四、22种小儿补养和祛病良方，护佑宝宝健康快乐成长；五、23个经络、食疗和方剂精华养生大法，给天下姐妹最贴心的呵护；六、5个简单易学的煎药、经络按摩治疗法。

但愿世上人无病，哪怕人间药生尘
人世中最好的福田，都长在我们身体间

这是一本介绍当代治病养生绝技"人体药库学"的家庭保健图书。书中告诉我们：一、每一种疾病，都能在我们人体内都能找到相对应的解药，而且比很多外用药物都有效和持久；二、要想不生病，只要保持人体的相对平衡就可以了。而有了病，只需要找到高升点来按压就好；三、要想延缓衰老、容颜永驻，只需每天坚持维护几个穴位即可；四、慢性妇科病可以靠女福穴等几味单穴的配伍来减缓和治愈；五、孩子身上的大药最多，每天保证给孩子推拿几次，就可以让他更聪明更强壮。